FRANÇOISE TCHOU
D0258557
1re
ANNÉE
1er CYCLE
POUR LA
MAISON
LES EXERCICES DU
petit prof
FRANÇAIS
MATHÉMATIQUE
Trécarré
Une compagnie de Quebecor Media

ÉDITION : MILÉNA STOJANAC
COUVERTURE : KUIZIN
INFOGRAPHIE ET MISE EN PAGES : KUIZIN
ILLUSTRATIONS : CHRISTINE BATTUZ

LES ÉDITIONS DU TRÉCARRÉ RECONNAISSENT L'AIDE FINANCIÈRE DU GOUVERNEMENT DU CANADA PAR L'ENTREMISE DU PROGRAMME D'AIDE AU DÉVELOPPEMENT DE L'INDUSTRIE DE L'ÉDITION (PADIÉ) POUR SES ACTIVITÉS D'ÉDITION.

LES ÉDITIONS DU TRÉCARRÉ
GROUPE LIBREX INC.
UNE COMPAGNIE DE QUEBECOR MEDIA
LA TOURELLE
1055, BOUL. RENÉ-LÉVESQUE EST
BUREAU 800
MONTRÉAL (QUÉBEC) H2L 4S5
TÉL. : 514 849-5259
TÉLÉC. : 514 849-1388

DÉPÔT LÉGAL – BIBLIOTHÈQUE ET ARCHIVES NATIONALES DU QUÉBEC
ET BIBLIOTHÈQUE ET ARCHIVES CANADA, 2008

ISBN : 978-2-89568-359-9

DISTRIBUTION AU CANADA
MESSAGERIES ADP
2315, RUE DE LA PROVINCE
LONGUEUIL (QUÉBEC) J4G 1G4
TÉLÉPHONE : 450 640-1234
SANS FRAIS : 1 800 771-3022

DIFFUSION HORS CANADA
INTERFORUM

MOT AUX PARENTS

Les devoirs provoquent bien des maux de tête. Les parents sont inquiets et se sentent souvent démunis, surtout depuis les dernières réformes en éducation. C'est pour répondre à leurs inquiétudes que nous avons publié *Le Petit Prof – Aide aux devoirs*, des ouvrages de référence où les notions du programme de français et de mathématique sont expliquées pour être bien comprises de tous, chaque explication étant accompagnée de devoirs modèles déjà corrigés.

Les Exercices du Petit Prof ont été conçus pour compléter ces ouvrages de référence. Les exercices, calqués sur les devoirs modèles du *Petit Prof*, permettront à votre enfant de s'entraîner à son propre rythme et ainsi de consolider les apprentissages faits en classe.

Les éditeurs.

COMMENT UTILISER CE CAHIER

Après avoir cherché dans l'ordre alphabétique, comme dans un dictionnaire, la notion qui pose un problème, on peut utiliser ce cahier de deux façons :

1. S'entraîner à faire les exercices, puis vérifier les réponses dans le corrigé.

2. Commencer par lire l'explication dans *Le Petit Prof – Aide aux devoirs*, consulter les devoirs modèles, puis faire les exercices dans le cahier.

Le corrigé des **Exercices du Petit Prof** est disponible sur l'Espace pédagogique du site des Éditions du Trécarré :

http://www.edtrecarre.com/pedagogique

Vous pouvez le consulter, le télécharger ou l'imprimer selon vos besoins. De plus, vous y trouverez les renvois aux pages d'explications du *Petit Prof – Aide aux devoirs* correspondantes.

SOMMAIRE

Français

grammaire

conjugaison

orthographe d'usage

vocabulaire

son

SOMMAIRE
Mathématique

arithmétique

géométrie

mesure

probabilité et statistique

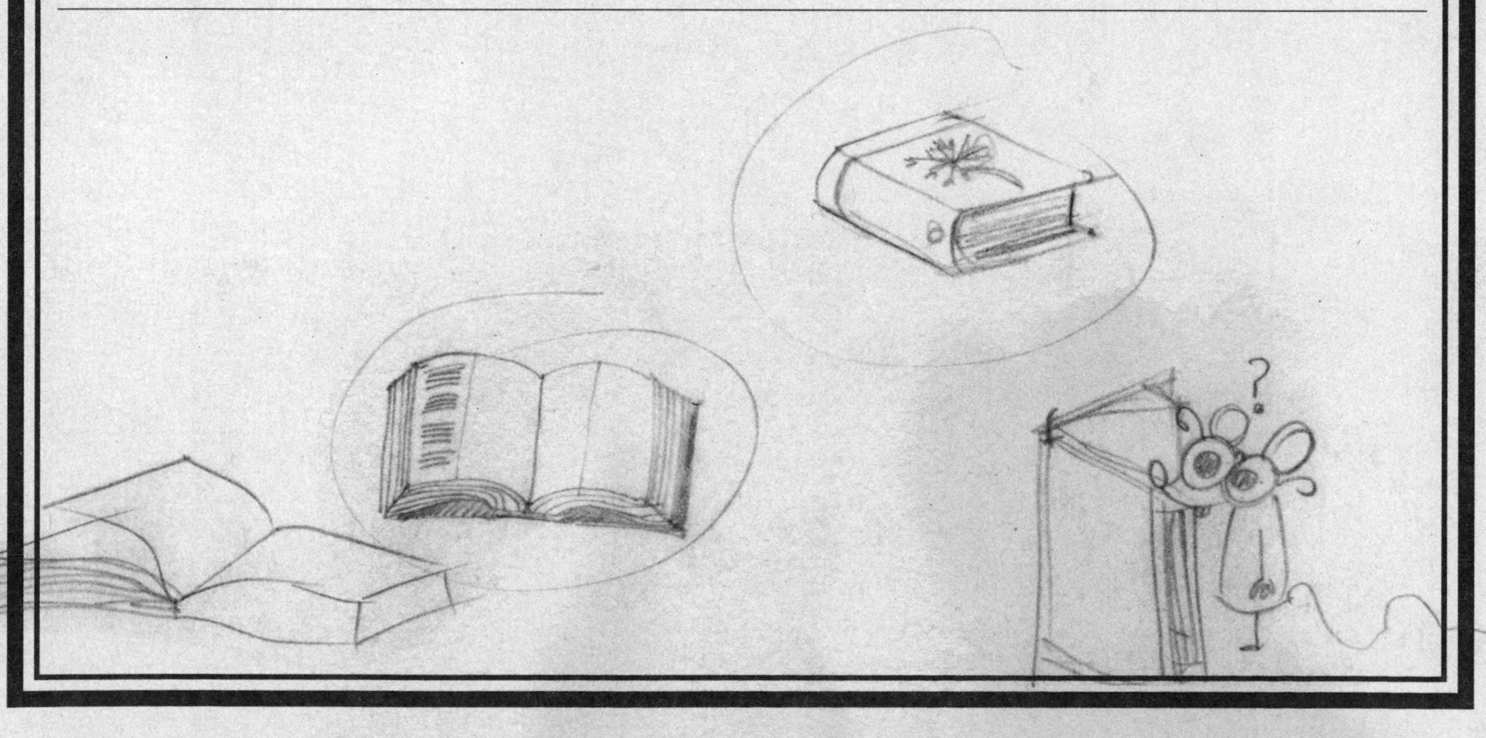

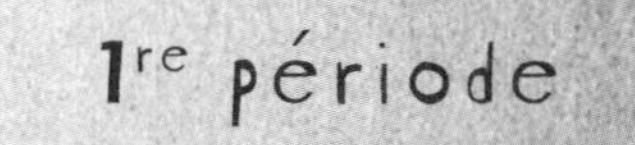

1re période

FRANÇAIS

Accents

1 Complète chaque mot par la lettre accentuée qui convient.

ann___e	d___cembre	___crire	f___e
béb___	d___guiser	___léphant	f___vrier
carr___	___chelle	___paule	poup___e
apr___s-midi	deuxi___me	m___re	po___me
cr___me	fr___re	mod___le	troisi___me
déj___	l___-bas	déj___	voil___
___ge	ch___teau	g___teau	for___t
___ne	d___ner	fen___tre	h___pital
ao___t	dr___le	f___te	r___ve
fant___me	p___re	___cole	tél___phone
cin___ma	___toile	h___pital	piq___re

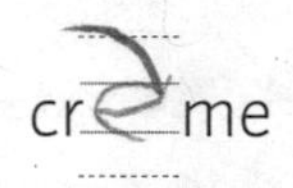

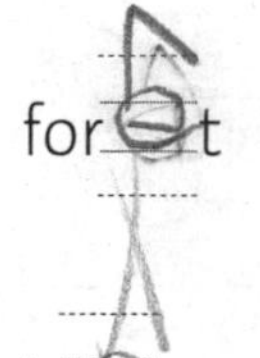

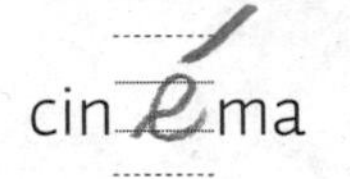

Accord dans le groupe du nom

Voir aussi *groupe du nom*.

1 Complète les groupes du nom par le déterminant **le** ou **la**.

Le bébé	Le cinéma	la lapin	____ porte
Le ballon	La danse	la lapine	____ poule
La banane	Le dîner	le livre	____ poupée
Le bateau	la famille	la main	____ printemps
Le bâton	Le fantôme	____ maison	____ radis
La bicyclette	La fenêtre	____ maman	____ raisin
Le cadeau	la ferme	____ manteau	____ robe
La carotte	la fête	____ matin	____ rue
le céleri	la feuille	____ mer	____ soeur
la chambre	la fille	La mère	____ soir

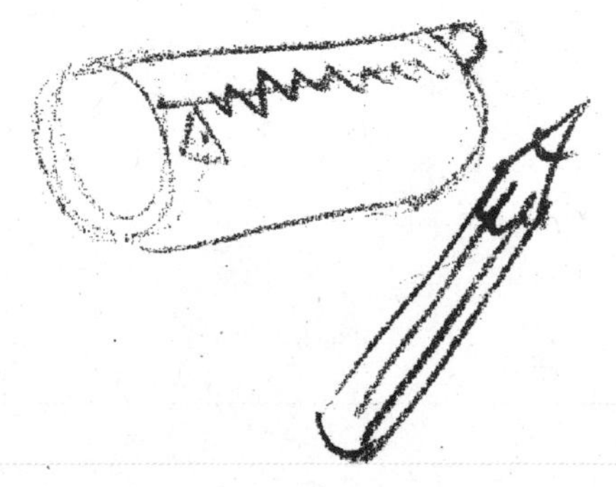

2 Choisis dans les parenthèses le déterminant qui convient, puis écris-le.

(le / les) ________ ballon

(un / des) ________ chiens

(ma / mes) ________ robe

(ma / mes) ________ lapine

(le / les) ________ garçons

(la / les) ________ chatte

(mon / mes) ________ souliers

(un / des) ________ chien

(un / des) ________ garçon

(la / les) ________ maisons

(son / ses) ________ frère

(mon / mes) ________ soulier

(la / les) ________ chattes

(une / des) ________ forêt

(le / les) ________ ballons

(ma / mes) ________ lapines

(la / les) ________ maison

(son / ses) ________ frères

(une / des) ________ forêts

(ma / mes) ________ robes

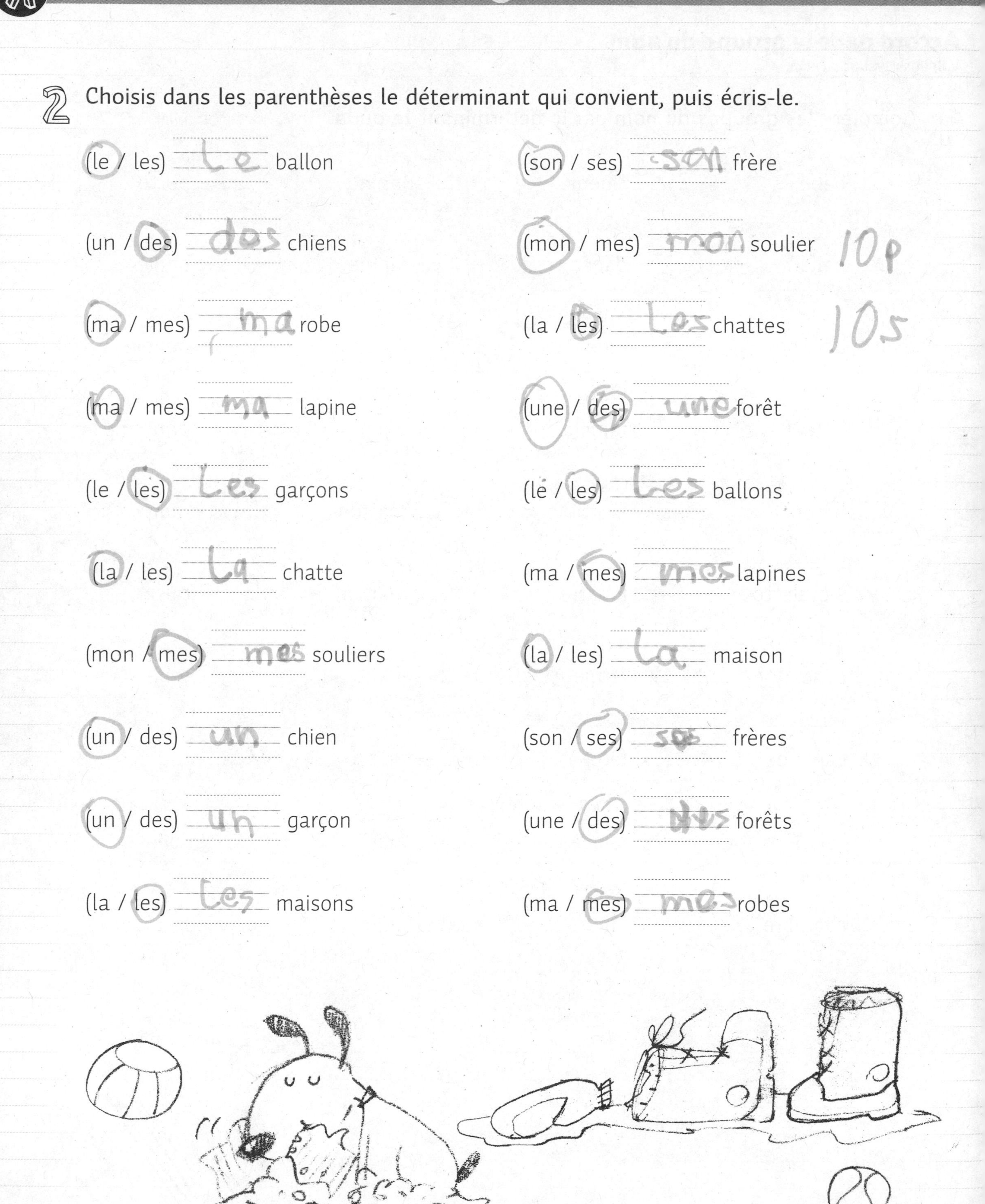

Alphabet

1 Ajoute les lettres qui manquent.

a ___ c d ___ f g h i j k ___ m n ___ p q r ___ t u v ___ x y z

a b ___ d e f ___ h i j k l m ___ o ___ q r s t ___ v w x ___ z

___ ___ c d e f g h ___ j k l m n o p ___ ___ s t u v w ___ y z

a b c d e ___ g h i ___ ___ l ___ n o p q ___ s t u v w x ___ z

a b c ___ e f g ___ i j k l m n ___ p q r s ___ u ___ ___ x y z

a b c d ___ f g h i ___ k ___ m ___ o p q r ___ t u v w x y ___

a ___ c d e ___ g h i j k l ___ n o p q ___ s t u v w ___ ___ z

2 Classe les mots suivants selon l'ordre alphabétique.

a) danse banane ami canard étoile

ami - banane - canard - danse - étoile

b) fille image hiver glace

fille - glace - hiver - image

c) mouton jouet lune koala

jouet - koala - lune - mouton

d) oiseau neige patin rouge quatre

neige - oiseau - patin - quatre - rouge

e) tomate souris un vendredi zèbre

souris - tomate - un - vendredi - zèbre

3 Parmi les lettres suivantes, entoure en rouge les voyelles, entoure en bleu les consonnes.

u c q d e f h o j k z l w

b g a m p r i s t v x n y

Antonymes

1 Écris le contraire de chaque mot en utilisant la liste.

a) froid, grand, laid, lent, méchant, triste

gentil méchant — petit grand

chaud froid — gai triste

beau laid — rapide lent

b) bon, heureux, lourd, maigre, jeune, riche

gros maigre — mauvais bon

malheureux heureux — pauvre riche

léger lourd — vieux jeune

c) aimer, perdre, donner, partir, monter, rire

prendre donner — descendre monter

détester aimer — pleurer rire

trouver perdre — arriver partir

Apostrophe

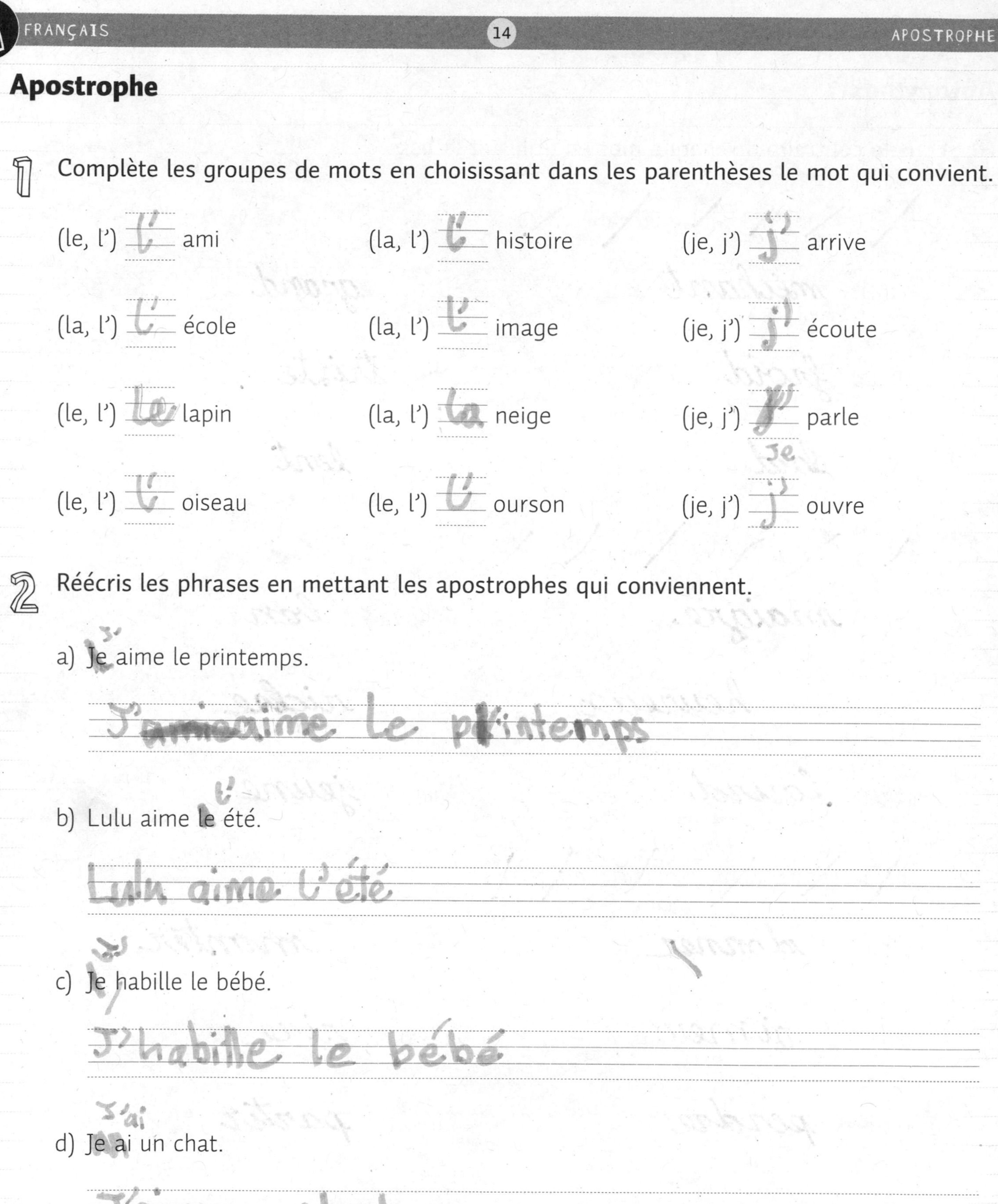

1 Complète les groupes de mots en choisissant dans les parenthèses le mot qui convient.

(le, l') _____ ami | (la, l') _____ histoire | (je, j') _____ arrive

(la, l') _____ école | (la, l') _____ image | (je, j') _____ écoute

(le, l') _____ lapin | (la, l') _____ neige | (je, j') _____ parle

(le, l') _____ oiseau | (le, l') _____ ourson | (je, j') _____ ouvre

2 Réécris les phrases en mettant les apostrophes qui conviennent.

a) Je aime le printemps.

____

b) Lulu aime le été.

____

c) Je habille le bébé.

____

d) Je ai un chat.

____

Cédille

- Voir aussi *sons : c dur, c doux.*

1 Complète les mots par la lettre **c** ou **ç**.

un gla___on	une fa___ade	une fa___e	un ___itron
une le___on	un ___adeau	une gla___e	le ___iel
une ___our	une ___arotte	un pou___e	un ___inéma
une bi___yclette	un ___amion	une ___erise	un ___olis
un con___ombre	une ___abane	un ___amarade	un é___ureuil
un ___ousin	une pla___e	une ___ulotte	une balan___oire
une é___ole	la ___olle	la ___uisine	un ___irque
un ___éleri	un prin___e	un es___alier	___inq
un gar___on	un ___ube	un ___ochon	mer___i

Classes de mots

Voir aussi *déterminant, nom, pronom.*

1 Entoure les noms en bleu, les déterminants en rouge et les pronoms en vert.

tomate	trois	un	poule
son	voiture	Gonzales	gâteau
bébé	une	lutin	patin
des	ballon	mes	deux
pantalon	lapin	elle	garçon
ils	cadeau	Ursule	Olga
chat	elles	fille	frère
arbre	il	chemise	cheval
bonbon	ma	ton	biscuit
nous	mère	table	sa
chien	mon	ces	je

2 Dans les phrases suivantes, entoure les noms en bleu et les déterminants en rouge.

a) Mon amie Ursule a des souris.

b) Elles aiment beaucoup les biscuits.

c) Octave est le frère d'Ursule.

d) Ils sont jumeaux.

e) Octave a souvent la tête dans les nuages.

f) Il aime regarder par la fenêtre.

g) Ursule promène ses souris le matin.

h) Octave promène les souris le soir.

i) Ma cousine Adèle a trois perruches.

j) Elles chantent souvent l'après-midi.

3 Classe dans le tableau les noms, les déterminants et le pronom de chaque phrase.

a) Mon frère aime les animaux, il a sept lapins.

Noms	*Déterminants*	*Pronom*
frère	Mon	il
animaux	les	
lapins	sept	

b) Il joue à la balle avec le chien de mon cousin.

Noms	*Déterminants*	*Pronom*

Déterminant

Voir aussi *classes de mots, groupe du nom.*

1 Dans les groupes du nom suivants, souligne les déterminants.

le radis	le ciel	la maison	ses tantes
un frère	mes jouets	mon chapeau	leur élève
mon père	vos bonbons	des couleurs	leurs sacs
ton ami	leur téléphone	ta tuque	cinq cochons
son cousin	la pomme	son chandail	trois citrons
notre classe	une soeur	six tomates	notre ballon
nos cahiers	ma mère	dix fleurs	ma fête
trois chats	ta voisine	nos voisins	ton pantalon
l'école	sa cousine	les légumes	une robe
des biscuits	votre professeur	des parents	votre voiture
un cheval	vos livres	mes oncles	mon cadeau
les avions	quatre chiens	tes poissons	ses yeux

Dans les phrases suivantes, souligne les déterminants.

a) Dans la classe de Mélodie, il y a trois tortues.

b) Elles mangent des radis et de la laitue.

c) Leur cage est près de mon bureau.

d) Nos tortues s'appellent Lili, Boulotte et Rififi.

e) Hier, Amédée a collé sa gomme sur ma chaise.

f) Il a caché mes mitaines dans son sac.

g) Il fait des dessins dans son livre.

h) Il passe son temps à faire des bêtises.

i) Je lui ai fait une grimace.

j) Mélodie téléphonera à ses parents.

k) Aujourd'hui, notre professeure est malade.

l) Elle ne viendra pas à l'école pendant quatre jours.

m) La remplaçante ne connaît pas nos noms.

n) Sa tête est petite, son nez est pointu et ses cheveux sont blonds.

Féminin

Voir aussi *genre*.

1 Entoure les noms féminins.

soeur	frère	père	mère
garçon	fille	dame	oncle
chat	poule	chien	lapin
vache	roi	reine	lapine
cousin	voisin	cousine	voisine
prince	princesse	sorcier	fée
chambre	pomme	maison	école
fête	histoire	livre	bonbon
chanson	ballon	avion	ourson

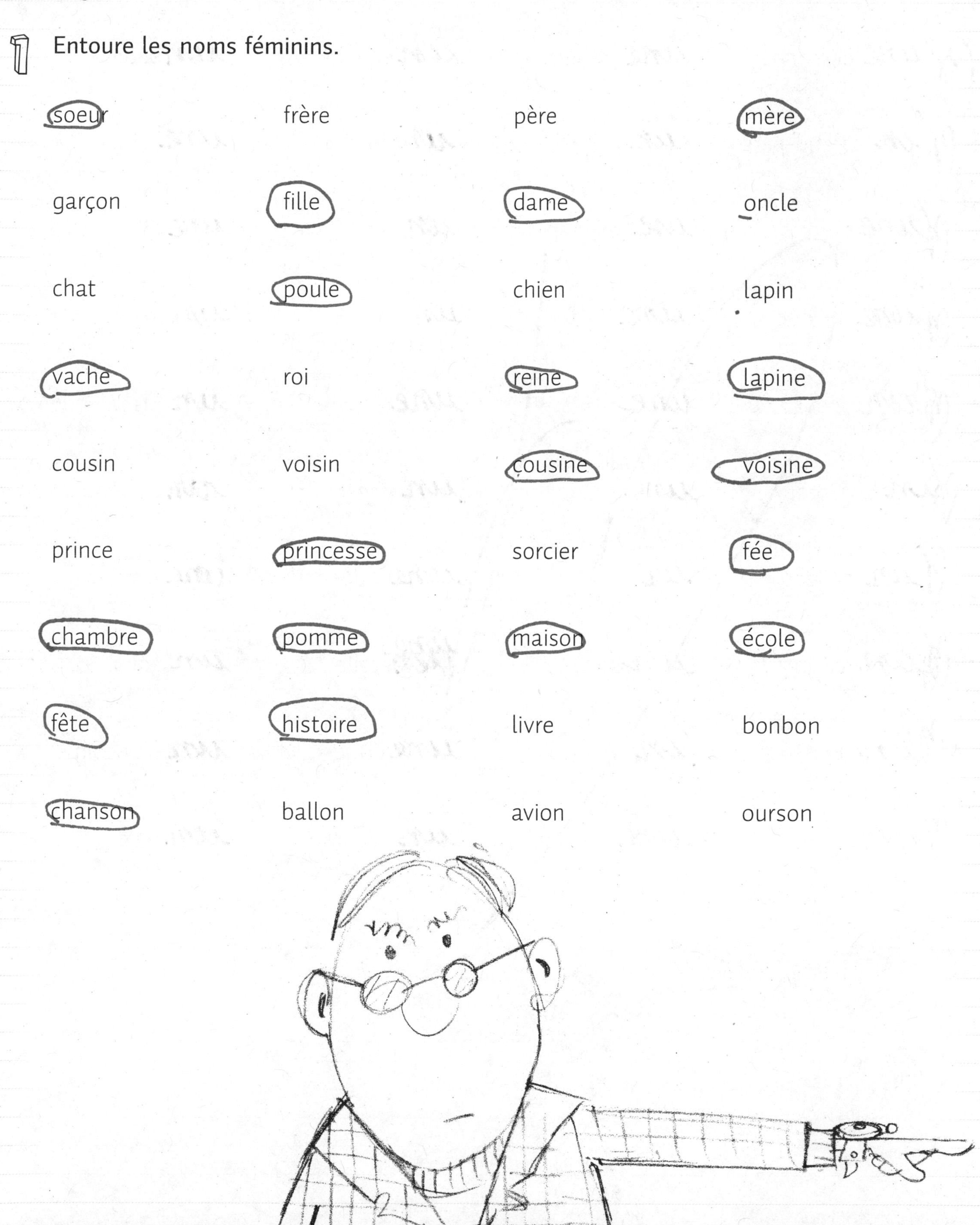

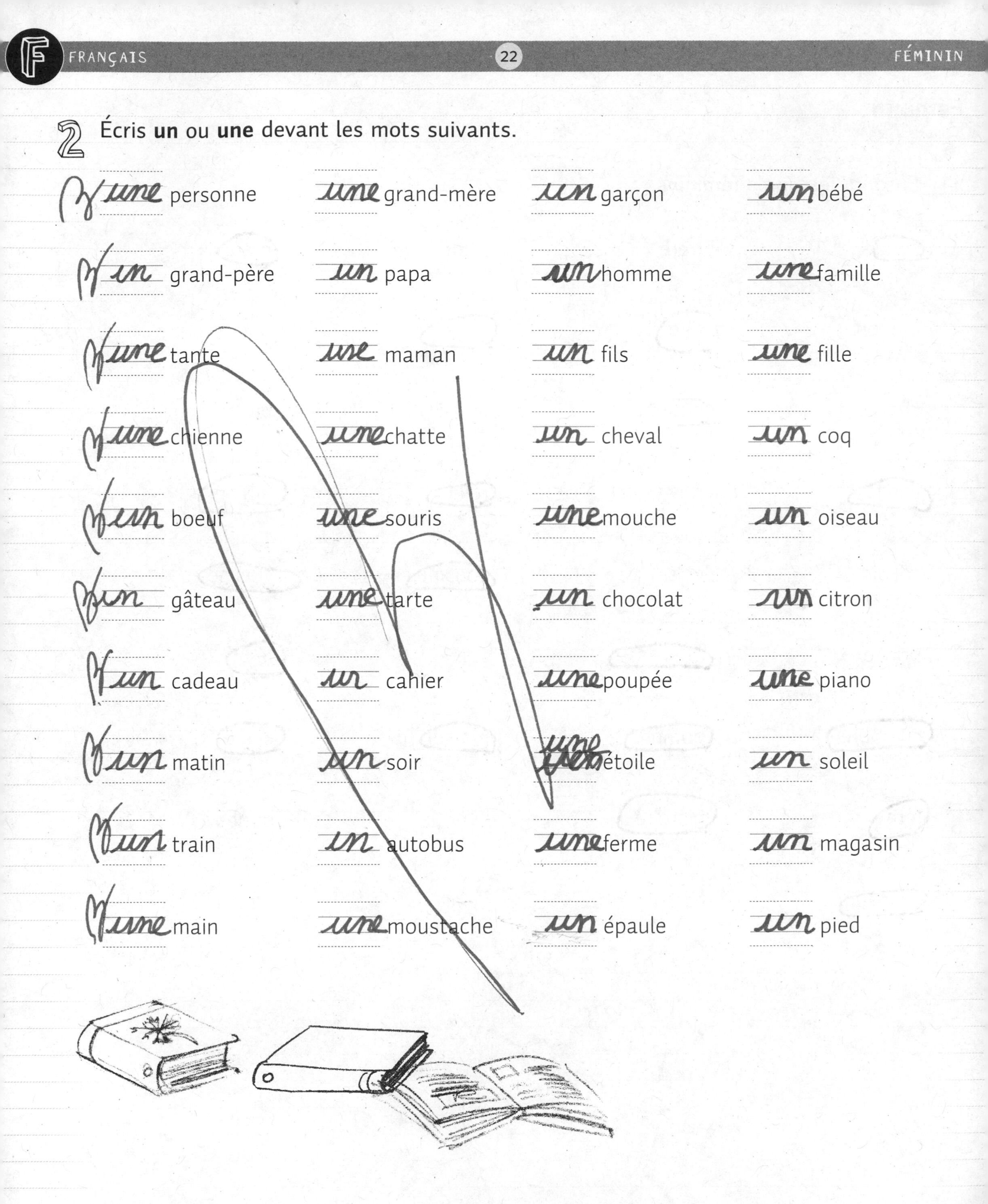

2 Écris **un** ou **une** devant les mots suivants.

personne	grand-mère	garçon	bébé
grand-père	papa	homme	famille
tante	maman	fils	fille
chienne	chatte	cheval	coq
boeuf	souris	mouche	oiseau
gâteau	tarte	chocolat	citron
cadeau	cahier	poupée	piano
matin	soir	étoile	soleil
train	autobus	ferme	magasin
main	moustache	épaule	pied

3 Écris les noms suivants au féminin.

un lapin, une ____________

un voisin, une ____________

un cousin, une ____________

un coquin, une ____________

un marchand, une ____________

un client, une ____________

un ours, une ____________

le premier, la ____________

un boulanger, une ____________

le dernier, la ____________

un ami, une ____________

un marié, une ____________

un invité, une ____________

un blessé, une ____________

un bavard, une ____________

un habitant, une ____________

un étudiant, une ____________

un débutant, une ____________

un enseignant, une ____________

un remplaçant, une ____________

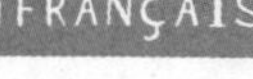

Futur

Voir aussi *passé, présent.*

1 Coche les phrases qui sont au futur.

- Le mois dernier, c'était mon anniversaire.
- La semaine dernière, c'était l'anniversaire de Lulu.
- Hier, Mélodie a oublié l'anniversaire d'Olga.
- Aujourd'hui, Adèle reste à la maison.
- Je lui téléphonerai demain soir.
- Maintenant, j'arrête de parler avec ma voisine.
- En ce moment, je me concentre sur mon alphabet.
- Aujourd'hui, Mélodie m'énerve.
- Dimanche prochain, ce sera la fête des mères.
- Dimanche dernier, c'était la fête de mon père.
- Hier, j'ai été puni.
- Aujourd'hui, je suis en retard.
- Demain, ce sera mon tour.

Genre

Voir aussi *féminin, masculin.*

1 Entoure les noms de genre masculin en bleu et les noms de genre féminin en rouge.

boulanger	voisin	père	mère	cousin
garçon	fermier	marchand	frère	cousine
Ursule	marchande	jardinier	soeur	oncle
boulangère	Serge	jardinière	fermière	oiseau
chien	lion	singe	chatte	lionne
escalier	maison	école	anniversaire	oreille
armoire	salon	avion	pluie	télévision
raisin	poire	hôpital	lit	orange
orage	fête	cadeau	balle	lune
étoile	ambulance	autobus	téléphone	pomme

2 Dans les parenthèses, écris **M** si le mot est masculin, écris **F** si le mot est féminin.

chat (______)	lion (______)	fille (______)
chienne (______)	papa (______)	maman (______)
tête (______)	manteau (______)	soir (______)
château (______)	journée (______)	camion (______)
année (______)	matin (______)	Mélodie (______)
échelle (______)	pompier (______)	escalier (______)
avion (______)	nid (______)	banane (______)
autobus (______)	tarte (______)	chat (______)
chaise (______)	bureau (______)	classe (______)
fleur (______)	arbre (______)	feuille (______)

Groupe du nom

Voir aussi *accord dans le groupe du nom, déterminant, nom.*

1 Souligne les groupes du nom des phrases suivantes.

a) Gonzales est un sportif.

b) Il aime le hockey.

c) Lancelot fait des bêtises.

d) Lancelot et Amédée oublient toujours leurs affaires.

e) Olga déteste les araignées.

f) Mélodie aime beaucoup ses élèves.

g) Joséphine mange des bonbons.

h) Notre concierge range les poubelles.

i) Mes deux amis s'appellent Louis et Octave.

j) Notre classe a quatre fenêtres.

k) Dans la cour, il y a des arbres et des balançoires.

l) Près de l'école, il y a un lac.

m) L'été, les canards viennent se baigner.

Lettres muettes

1 Entoure les mots qui contiennent une lettre muette.

canard ami beaucoup

avenue souris chat

hiver deux piano

2 Souligne les lettres muettes des mots suivants.

un nid la vie un hôpital un loup

un jus un lit une noix un pied

une poupée un hiver un champ jamais

un repas la joie petit la paix

3 Complète par la lettre muette qui convient.

gran_____ chau_____ du lai_____

un repa_____ le pri_____ une fé_____

un frui_____ lour_____ un dra_____

m devant m, p, b

1 Complète les mots par la lettre **n** ou **m**.

une la___pe	un bo___bon	dima___che
un ta___bour	une tro___pette	ve___dredi
une cha___son	une co___pote	nove___bre
une ja___be	un conco___bre	ja___vier
une cha___bre	un po___pier	septe___bre
un pa___talon	un i___vité	elle e___brasse
une ora___ge	un ti___bre	il e___mène
un cha___dail	un pri___ce	elle e___porte
un ma___teau	i___portant	il mo___te
un me___ton	déce___bre	il ma___ge

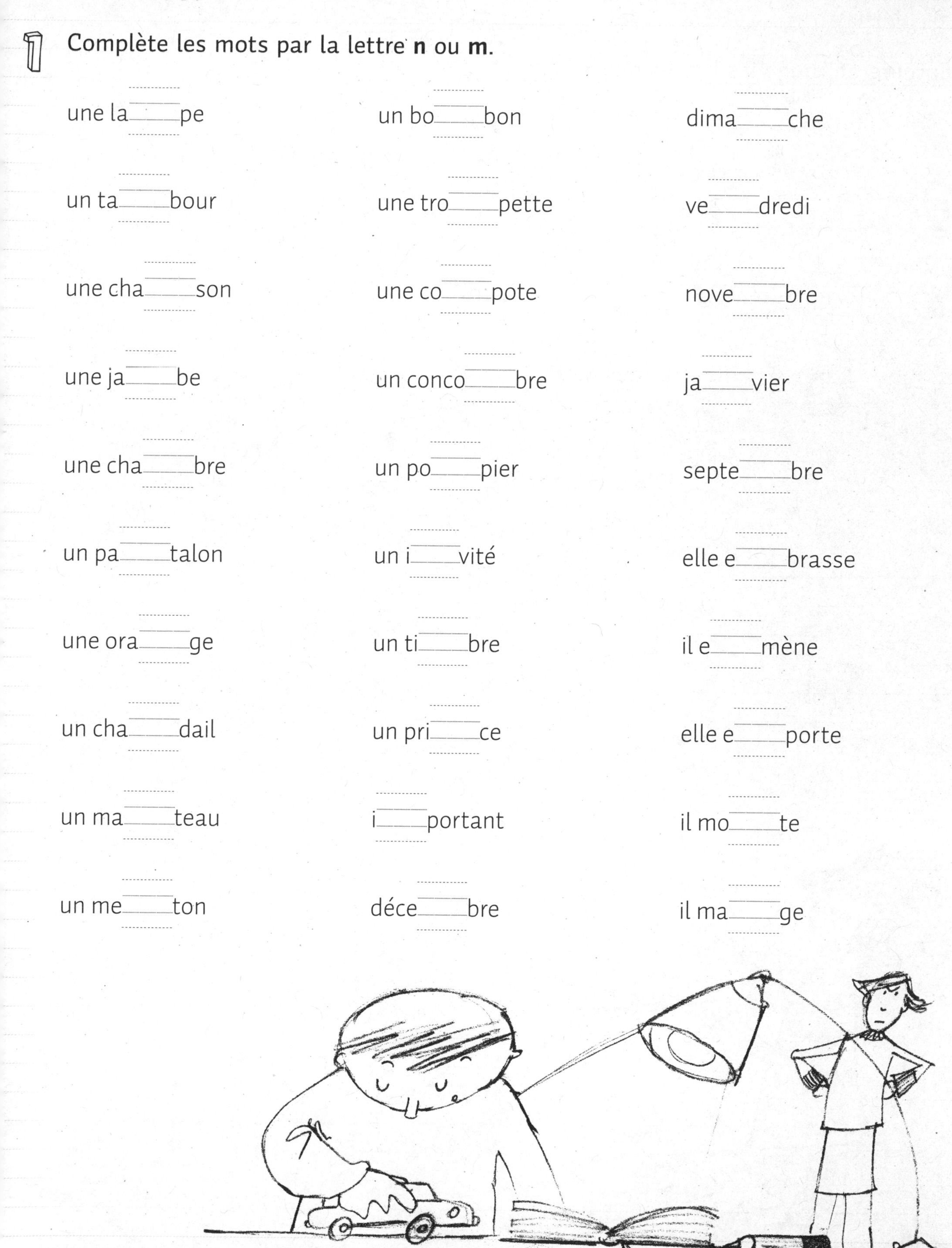

Majuscule

Voir aussi *alphabet*.

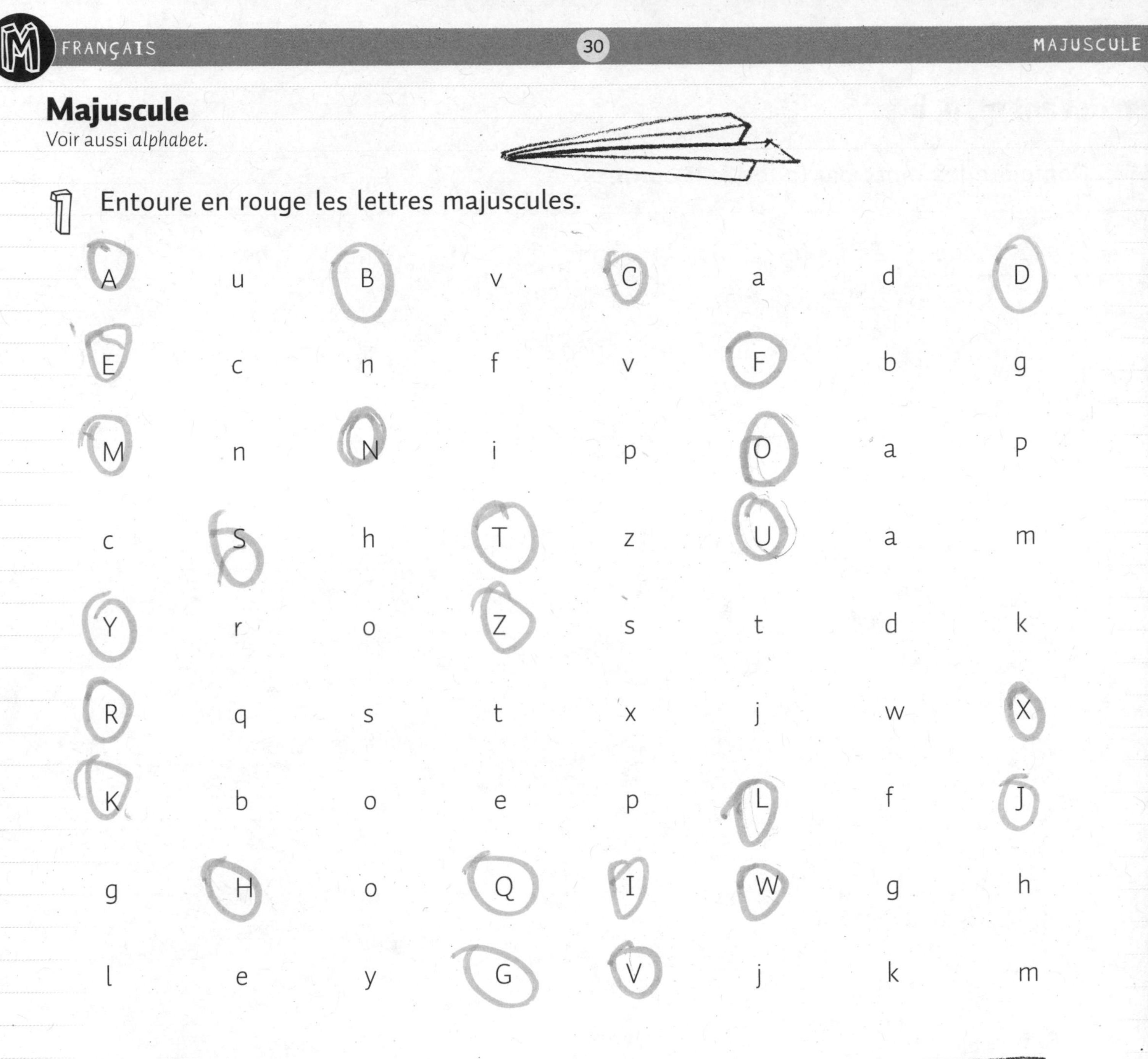

1 Entoure en rouge les lettres majuscules.

A	u	B	v	C	a	d	D
E	c	n	f	v	F	b	g
M	n	N	i	p	O	a	P
c	S	h	T	z	U	a	m
Y	r	o	Z	s	t	d	k
R	q	s	t	x	j	w	X
K	b	o	e	p	L	f	J
g	H	o	Q	I	W	g	h
l	e	y	G	V	j	k	m

2 Complète les mots des phrases par la lettre **l** (minuscule) ou par la lettre **L** (majuscule).

Louis lave les légumes dans le lavabo.

Le lion se lave lentement sous le lampadaire.

3 Combien y a-t-il de phrases dans chaque texte ?

a) Un de mes amis habite près d'une forêt. Trois petits cochons vivent dans cette forêt. Ils se construisent des maisons. Une maison est en paille. Une maison est en bois. Une maison est en pierre.

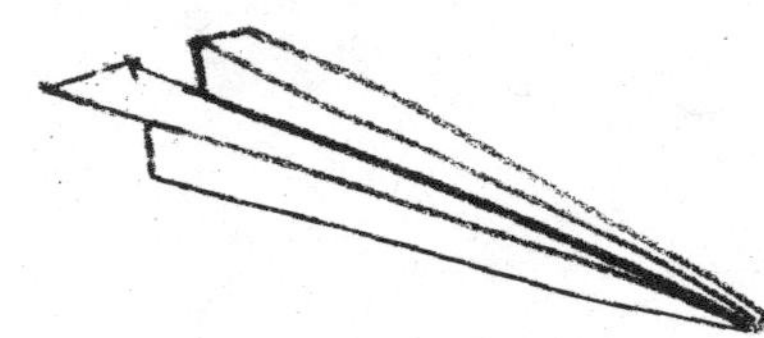

Réponse : 6 phrases

b) Mon ami s'appelle Louis. Un des trois petits cochons s'appelle Ronron. L'autre s'appelle Fripon. Le dernier petit cochon ne sort jamais de sa maison. Il s'appelle Bonbon.

Réponse : 5 phrases

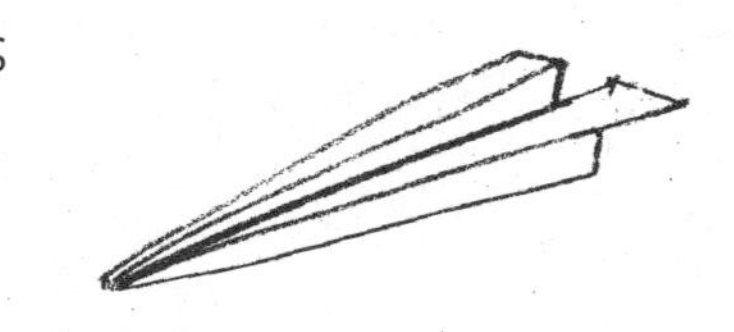

c) Le matin, Bonbon lit. L'après-midi, il chante. Le soir, il saute dans son lit.

Réponse : 3 phrases

Masculin

Voir aussi *genre*.

1 Entoure les noms masculins.

garçon	fille	tante	oncle
soeur	frère	père	mère
lion	coq	chienne	chatte
chat	prince	reine	voisine
cousin	cousine	voisin	lapine
roi	princesse	poule	fée
salon	maison	céleri	école
anniversaire	conte	livre	citron
chanson	ballon	autobus	gâteau

2 Écris **un** ou **une** devant les noms suivants.

______ épicier	______ balai	______ voisin	______ cousin
______ loup	______ louve	______ guitare	______ dame
______ chien	______ chat	______ rat	______ chocolat
______ château	______ bateau	______ soleil	______ étoile
______ mouffette	______ bruit	______ nuit	______ train

3 Écris le masculin des noms suivants.

une cousine, un ______________

une marchande, un ______________

une amie, un ______________

une étudiante, un ______________

une invitée, un ______________

une boulangère, un ______________

une mariée, un ______________

une débutante, un ______________

une bavarde, un ______________

la première, le ______________

Mot

1 Entoure les mots.

blep	Adèle	bonbon	vacances	ton
rouge	pfffff	moluct	les	jouer
des	bonblep	un	ballon	cinq
vert	l’	bonjour	abcd	gâteau
animal	poisson	aime	grand	klu
premst	ami	ribette	frère	maman

2 Combien y a-t-il de mots dans la phrase suivante ?

Olga attend sa maman sous la pluie et elle pleure.

Réponse : ☐ mots

Mot de relation

1 Pour chaque phrase, choisis dans la liste le mot de relation qui convient :
par – avec – chez – à – dans – sur.

a) Omar a toujours des biscuits ______________ sa chambre.

b) Lulu joue toujours ______________ Joséphine.

c) Lancelot met toujours ses pieds ______________ la table.

d) Charles-Antoine va toujours ______________ l'école en taxi.

e) Ursule va toujours ______________ sa grand-mère le dimanche.

f) Octave regarde toujours les oiseaux ______________ la fenêtre.

g) Louis arrive toujours en avance ______________ l'école.

h) Gonzales va toujours ______________ le coiffeur le samedi.

i) Joséphine se chicane toujours ______________ sa cousine.

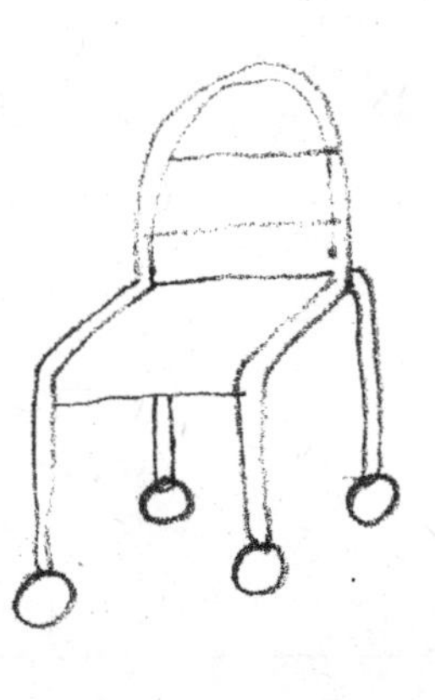
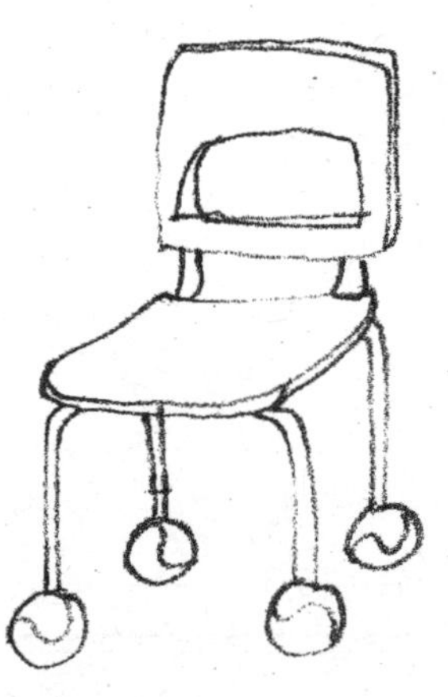

Nom

Voir aussi *classes de mots, groupe du nom.*

1 Classe les noms dans le tableau.

a) ballon, chat, frère, joie, Octave, sac, tristesse, souris

Personnes	Animaux	Choses	Sentiments

b) amour, chapeau, colère, gâteau, mouton, soeur, voisin, lapin

Personnes	Animaux	Choses	Sentiments

c) cochon, crocodile, élève, ennui, peur, jouet, livre, Mélodie

Personnes	Animaux	Choses	Sentiments

2 Dans les textes suivants, entoure les noms.

a) Adèle Nobel aime la musique. Le soir, sa mère chante des chansons. Le matin, son père joue du piano.

b) Adèle a deux tantes et quatre oncles. Ses cousines ont peur des chiens. Ses cousins sont toujours en colère.

c) Adèle joue du violoncelle. Quand elle donne des spectacles, elle porte une robe blanche et des souliers rouges.

d) Dans trois jours, mon amie Adèle m'invite chez elle. Sa maison est près de la forêt. Sa mère élève des moutons. J'ai très hâte de les voir.

e) J'ai une surprise pour les frères et la soeur d'Adèle. Ce sont des biscuits au chocolat et à la crème. Ils sont décorés avec des bonbons.

Dans les textes suivants, entoure les noms communs en bleu et les noms propres en rouge.

a) C'est la fête de Louis. Il a sept ans. Son père lui donne un chien. Sa mère lui donne un chat.

b) Mélodie, notre professeur, apporte un gâteau aux framboises. Sur le gâteau, il y a sept chandelles de toutes les couleurs. Il y a aussi des fraises et des bleuets.

c) Tous les amis de Louis lui donnent un cadeau. Gonzales lui donne une balle de tennis. Omar lui donne un paquet de jujubes. Ursule lui donne un jouet pour son chien.

d) Le directeur, André Gignac, lui apporte un livre de poésie. Madeleine, la cuisinière, lui offre un ourson.

Nombre

Voir aussi *pluriel, singulier.*

1 Sous les images, écris **sing.** si le mot est au singulier, écris **plur.** si le mot est au pluriel.

2 Entoure en bleu les noms et les déterminants qui sont au singulier.
Entoure en rouge les noms et les déterminants qui sont au pluriel.

Le jeudi, les professeurs organisent une partie de ballon contre les élèves.

Passé

Voir aussi *futur, présent.*

1 Coche les phrases qui sont au passé.

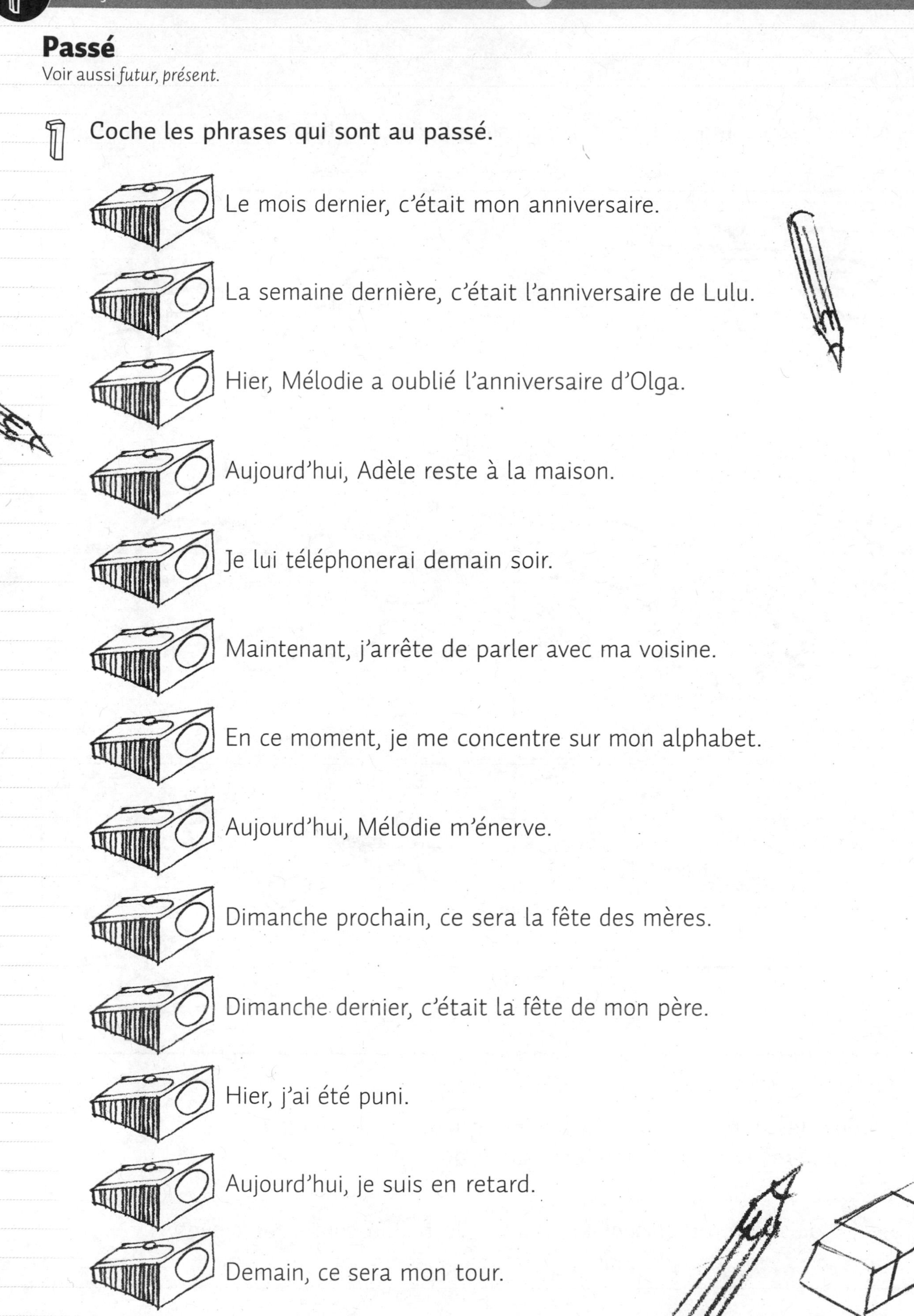

- Le mois dernier, c'était mon anniversaire.
- La semaine dernière, c'était l'anniversaire de Lulu.
- Hier, Mélodie a oublié l'anniversaire d'Olga.
- Aujourd'hui, Adèle reste à la maison.
- Je lui téléphonerai demain soir.
- Maintenant, j'arrête de parler avec ma voisine.
- En ce moment, je me concentre sur mon alphabet.
- Aujourd'hui, Mélodie m'énerve.
- Dimanche prochain, ce sera la fête des mères.
- Dimanche dernier, c'était la fête de mon père.
- Hier, j'ai été puni.
- Aujourd'hui, je suis en retard.
- Demain, ce sera mon tour.

Phrase

1 Coche les phrases.

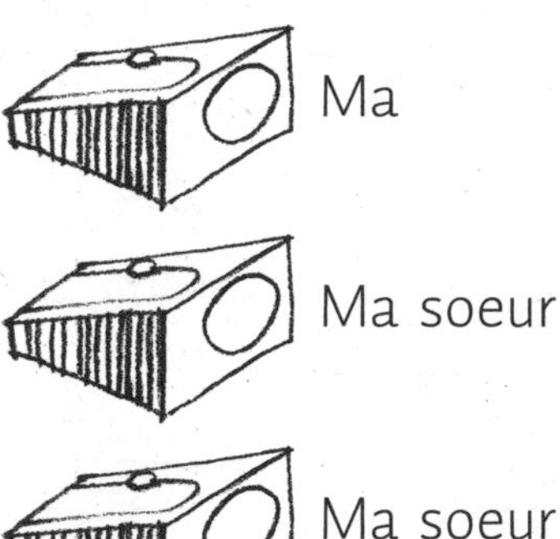

Ma

Ma soeur

Ma soeur est

Ma soeur est ceinture noire au judo.

est ma noire judo ceinture soeur

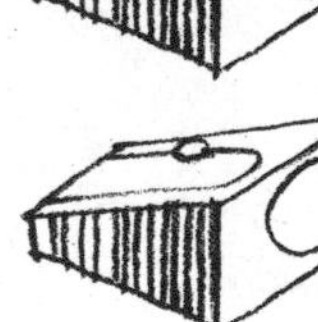

Le frère de Karim

Mon frère est plus fort que ta soeur.

est mon fort plus frère soeur que ma

2 Dans le texte suivant, combien y a-t-il de phrases ?

Le grand frère d'Omar est au secondaire. Il s'appelle Karim. Il fait du karaté. Il est capitaine de l'équipe de soccer de son école. Karim est très grand et très fort. Omar dit qu'il est très gentil.

Réponse : ______ phrases

Pluriel

Voir aussi *nombre*.

1 Écris **un** ou **des** devant les noms suivants.

______ boulanger	______ camion	______ chemins	______ bébé
______ lapin	______ ballons	______ livres	______ bâton
______ fantômes	______ raisin	______ matin	______ céleris
______ boulangers	______ camions	______ chemin	______ bébés
______ soir	______ soleils	______ chats	______ souliers
______ bâtons	______ livres	______ ballon	______ lapins
______ frère	______ pantalon	______ téléphone	______ papa
______ raisins	______ matins	______ fantôme	______ céleri
______ soirs	______ soulier	______ soleil	______ chat
______ papas	______ téléphones	______ pantalons	______ frères

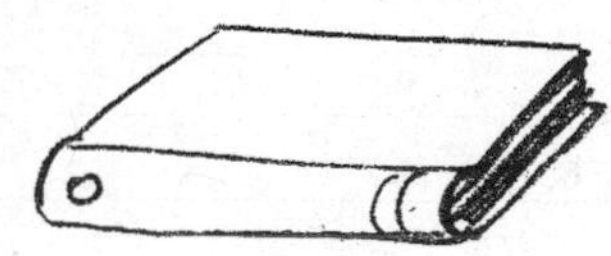

2 Écris le pluriel des noms suivants.

une soeur, des

un frère, des

une fille, des

un garçon, des

un train, des

une pomme, des

une souris, des

une tomate, des

une robe, des

un nez, des

un chien, des

une amie, des

un palais, des

une poupée, des

une école, des

une mère, des

un choix, des

un bras, des

un éléphant, des

un lilas, des

Ponctuation

Voir aussi *phrase*.

1 **Lis le texte à haute voix en baissant le ton et en faisant une petite pause chaque fois que tu rencontres un point.**

Je m'appelle Olga. Je suis un peu timide. Omar est mon voisin. Il est gentil.

Il mange sans arrêt. Omar me sourit de temps en temps. Il me parle rarement.

2 **Recopie les textes suivants en ajoutant les points qui manquent.**

a) Je m'appelle Omar J'aime les biscuits Je déteste le chou

b) Olga est ma voisine Elle est très timide Elle est gentille

Présent

Voir aussi *futur, passé.*

1 Coche les phrases qui sont au présent.

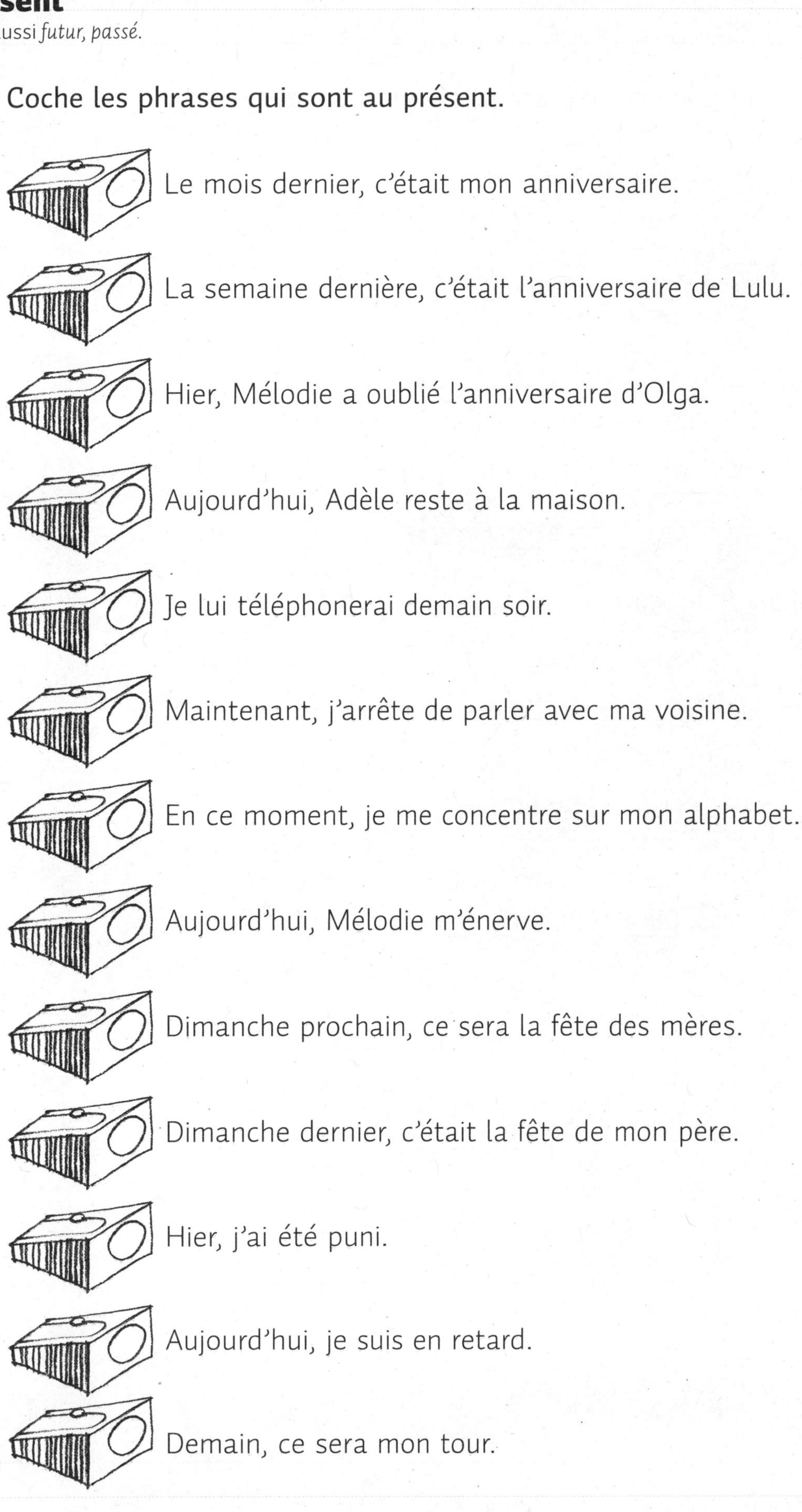

Le mois dernier, c'était mon anniversaire.

La semaine dernière, c'était l'anniversaire de Lulu.

Hier, Mélodie a oublié l'anniversaire d'Olga.

Aujourd'hui, Adèle reste à la maison.

Je lui téléphonerai demain soir.

Maintenant, j'arrête de parler avec ma voisine.

En ce moment, je me concentre sur mon alphabet.

Aujourd'hui, Mélodie m'énerve.

Dimanche prochain, ce sera la fête des mères.

Dimanche dernier, c'était la fête de mon père.

Hier, j'ai été puni.

Aujourd'hui, je suis en retard.

Demain, ce sera mon tour.

Pronom

Voir aussi *classes de mots.*

1 Entoure le groupe du nom qui est remplacé par le pronom souligné.

a) Amédée est malcommode en classe. Il est souvent puni.

b) Lancelot me taquine sans arrêt. Il est souvent puni.

c) Amédée et Lancelot font des mauvais coups. Ils sont souvent punis.

d) Omar mange des bonbons. Ils sont au chocolat.

e) Lulu est très populaire. Elle fait rire tout le monde.

f) Ursule adore les animaux. Elle a une petite souris dans son sac.

g) Louis aime les oiseaux. Il a deux perruches bleues.

h) Louis a perdu ses lunettes. Elles sont sous le bureau de Mélodie.

i) Joséphine et Lulu sont assises ensemble. Elles chuchotent sans arrêt.

j) Mélodie se fâche contre Joséphine et Lulu. Elles seront punies.

2 Remplace le groupe du nom souligné par le pronom qui convient : **Il, Elle, Ils** ou **Elles**.

a) Aujourd'hui, c'est l'anniversaire de Mélodie. .... a trente-huit ans.

b) Mélodie était contente. .... nous a donné congé de devoir.

c) Charles-Antoine a pensé à Mélodie. .... lui a offert un yoyo.

d) Le directeur entre dans la classe. .... donne une fleur à Mélodie.

e) Ursule lui a offert deux perruches. .... se sont mises à voler partout.

f) Adèle et Joséphine ont chanté une chanson. .... était très jolie.

g) Lancelot et Amédée sont fatigants. .... dérangent tout le monde.

h) Lancelot se moque de moi. .... n'est pas drôle.

i) Lancelot a tiré les cheveux d'Olga. .... a pleuré pendant une heure.

j) Amédée a mis une araignée sur le bureau de Mélodie. .... a eu très peur.

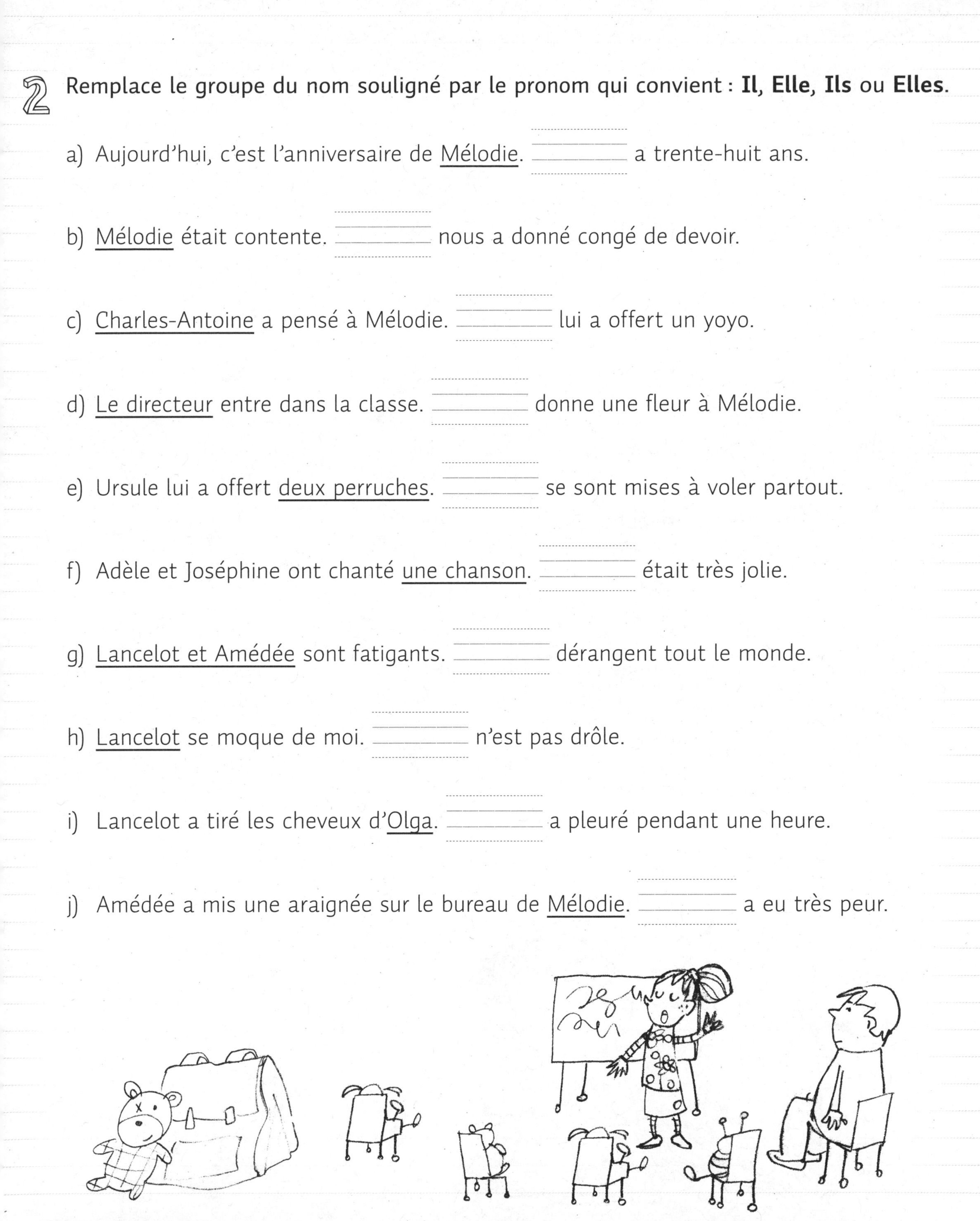

Singulier

Voir aussi *nombre*.

1 **Entoure les mots qui sont au singulier.**

boulangers	camion	chemin	bébés
lapin	ballons	livres	bâton
fantômes	raisin	matin	céleris
raisins	matins	fantôme	céleri
soirs	soulier	soleil	chat
papas	téléphones	pantalons	frères
robe	un	chien	amie
fraises	poupée	une	des
école	mères	canard	quatre
cousins	plante	poule	le

2 Écris **un** ou **des** devant les noms suivants.

______ ami	______ canard	______ hiver	______ patin
______ moutons	______ jouets	______ koalas	______ vendredi
______ zèbre	______ ballon	______ chiens	______ garçons
______ frère	______ soulier	______ forêts	______ ballons
______ lapin	______ frères	______ citrons	______ cinéma
______ écureuils	______ camarade	______ cirque	______ pouces
______ escalier	______ cochon	______ camions	______ prince
______ cubes	______ glaçon	______ concombre	______ cousin
______ céleri	______ garçon	______ oursons	______ amis

Sons : ai, è, ei, et

1 Lis les textes suivants à haute voix.

a) L'**ai**glon, le petit de l'**ai**gle, est tombé de la fal**ai**se. Il s'est brisé une **ai**le, il ne peut plus voler.

b) Le bal**ei**neau, le petit de la bal**ei**ne, a avalé le p**ei**gne de Madel**ei**ne, il s'est mis à tousser.

c) Bérang**è**re, la petite de la boulang**è**re, a un caract**è**re de vip**è**re. Elle n'arrête pas de bouder.

d) Mon**et**, le petit de madame Aud**et**, adore le ball**et**. Il porte un bracel**et** au poign**et**.

2 Complète les mots par les lettres **ai**, **è**, **ei** ou **et**.

a) Mon grand-p______re a trouvé un ______gle dans la n______ge.

b) Mon fr______re a trouvé une fr______se dans le bouqu______.

c) Ma m______re a perdu son bracel______ dans la font______ne.

d) Mon p______re a vu une sir______ne et une bal______ne.

Sons : ail (aille)

1 Complète les noms par les lettres **ail** ou **aille**.

un trav______ un b______. du bét______

un chand______ un dét______ un évent______

une p______ une bat______ une méd______

un épouvant______ un vitr______ une marm______

une mur______ une trouv______ une vol______

un gouvern______ des fianç______s des funér______s

un ém______ un soupir______ des brouss______s

un port______ une can______ le berc______

Sons : an, en

1 Lis les textes suivants à haute voix.

a) En vac**an**ces, le dim**an**che, Charles-**An**toine couche chez sa t**an**te Bl**an**che. Gontr**an** porte un ch**an**dail sous son m**an**teau. Sa mam**an** porte un rub**an** bl**an**c.

b) Le v**en**dredi, Flor**en**ce couche sous la t**en**te. Elle est cont**en**te. **En** sil**en**ce, elle p**en**se qu'elle a perdu une d**en**t et que ses par**en**ts lui donneront certainem**en**t une pièce d'arg**en**t.

2 Complète les mots par les lettres **an** ou **en**.

a) Mam______ att______d un autre enf______t.

b) Mes par______ts d______sent de joie.

c) J'ai glissé sur une p______te et mon p______talon est f______du.

d) Dim______che, je couche sous la t______te chez ma t______te Ninon.

e) V______dredi, je m______ge chez mes grands-par______ts.

Sons : c dur, c doux

Voir aussi *cédille*.

1 Lis chaque mot à haute voix. Souligne en bleu les mots qui contiennent un **c** dur. Souligne en rouge les mots qui contiennent un **c** doux.

un camion — un colibri — un cube — un crapaud

une glace — un cinéma — un cygne — une cerise

un écureuil — le ciel — décembre — un cadeau

un crocodile — une classe — octobre — une école

un cahier — un carton — cinquante — un citron

2 Lis les phrases suivantes à haute voix.

a) Un **c**olibri a fait son nid dans une **c**aisse en **c**arton près du mur dans la **c**our de l'é**c**ole.

b) En o**c**tobre, un é**c**ureuil lui a volé son nid.

c) J'adore la **c**onfiture aux **c**erises et la **c**rème gla**c**ée au **c**itron.

d) En dé**c**embre, j'ai eu beau**c**oup de **c**adeaux.

Sons : ch

1 Lis les phrases suivantes à haute voix.

a) En janvier, son **ch**at a ca**ch**é ses **ch**atons dans la **ch**eminée.

b) En février, son cousin a ta**ch**é son **ch**apeau de **ch**ocolat.

c) En mars, sa **ch**èvre a cassé sa **ch**aîne.

d) En avril, son **ch**ameau a mangé tous ses **ch**ampignons.

e) En mai, son **ch**eval est monté dans une é**ch**elle.

f) En juin, **Ch**arles-Antoine a enlevé sa **ch**emise, il avait trop **ch**aud.

g) En juillet, il a mangé des **ch**oux dans une **ch**aloupe à son **ch**alet.

h) En août, il a **ch**oisi de se faire couper les **ch**eveux.

i) En septembre, il a **ch**assé près d'un **ch**âteau à **Ch**âteauguay.

j) En octobre, il a appris à **ch**anter.

k) En novembre, il a **ch**er**ch**é son **ch**ien partout.

l) Un diman**ch**e de décembre, il a mis ses **ch**aussures dans un **ch**audron.

Sons : é, er

1 Lis les textes suivants à haute voix.

a) Am**é**d**é**e est en haut d'un pommi**er**. Il ne peut plus boug**er**. Un pompi**er** est mont**é** dans une **é**chelle pour all**er** le cherch**er**.

b) M**é**lodie est essouffl**é**e. Elle est mont**é**e par l'escali**er**, elle a tr**é**buch**é** et elle a perdu un souli**er**.

c) Le derni**er** jour de l'ann**é**e est arriv**é**. On est all**é** au march**é**. Le bouch**er** m'a fait pens**er** à un sorci**er**.

2 Complète par les lettres **é** ou **er**.

a) Omar a de nouveaux souli_____s. Ils sont déjà us_____s.

b) Assis sur un roch_____, le cordonni_____ de la rue d'à côt_____ compte les _____toiles.

c) Le plombi_____ tél_____phone au cordonni_____ pour qu'il répare son souli_____.

Sons : eil (eille)

1 Complète les noms par les lettres **eil** ou **eille**.

un ort______	une merv______	un sol______	une ab______
une bout______	une corb______	un rév______	une or______
le somm______	un cons______	un appar______	une corn______

2 Écris **un** ou **une** devant les noms suivants.

______ orteil	______ merveille	______ soleil	______ abeille
______ bouteille	______ corbeille	______ réveil	______ oreille
______ sommeil	______ conseil	______ appareil	______ corneille

Sons : el (elle)

1 Complète les noms par les lettres **el** ou **elle**.

une voy______	un manu______	un hôt______	un ci______
une chand______	une fic______	une rond______	du mi______
un caram______	une étinc______	la poub______	un rapp______
une coccin______	une rond______	une bret______	une p______

2 Écris **un** ou **une** devant les noms suivants.

______ ciel	______ hôtel	______ rappel	______ poubelle
______ manuel	______ hirondelle	______ ficelle	______ voyelle
______ bretelle	______ étincelle	______ chandelle	______ rondelle
______ caramel	______ coccinelle	______ chapelle	______ pelle

Sons : esse, ette

1 Lis les phrases suivantes à haute voix.

a) La maîtr**esse** appelle Olga sa petite princ**esse**.

b) Son Alt**esse** ne connaît même pas son adr**esse**.

c) Elle ne met pas ses lun**ette**s pour faire de la bicycl**ette**.

d) Elle a laissé sa fourch**ette** dans son assi**ette**.

e) La fill**ette** est chou**ette** sans sa casqu**ette**.

2 Complète les mots par les lettres **esse** ou **ette**.

a) J'ai mis mes raqu________s et mes lun________s en vit________.

b) Avec trist________, il a gardé le nez dans son assi________.

c) C'est une prom________, je vais me souvenir de ton adr________.

d) La fill________ a enlevé sa casqu________ devant la maîtr________.

Sons : eu

1 Lis les phrases suivantes à haute voix.

a) Tous les j**eu**dis, Olga met d**eu**x rubans bl**eu**s dans ses chev**eu**x.

b) Le nev**eu** de madame Beauli**eu** joue avec le f**eu**.

c) Nous sommes sortis des li**eu**x à la qu**eu**e l**eu** l**eu**.

d) Adi**eu**, je retourne dans ma banli**eu**e.

e) Maxime Faut**eu**x, le chanc**eu**x, a appris un p**eu** d'hébr**eu**.

f) Assis sur son pn**eu**, Serge s'ennuie un p**eu**.

g) Amédée et Lancelot ont traité Louis de p**eu**r**eu**x.

h) Il est furi**eu**x contre **eu**x.

i) Elle est malh**eu**r**eu**se, ses d**eu**x lav**eu**ses sont brisées.

j) Il n'est pas séri**eu**x, mais il est curi**eu**x.

k) Quand c'est nuag**eu**x, il est h**eu**r**eu**x.

l) Quand il pl**eu**t, il a mal aux y**eu**x.

m) C'est merveill**eu**x !

Sons : euil (euille)

1 Complète les mots par les lettres **euil** ou **euille**.

un faut______	un portef______	un d______
un écur______	un millef______	un s______
une f______	un chevr______	un tr______

Sons : g dur, g doux

1. Lis chaque mot, puis souligne-le en bleu s'il contient un **g** dur, souligne-le en rouge s'il contient un **g** doux.

une gomme	une girafe	une glace	une galette
une cage	une grotte	un village	une aiguille
la gymnastique	un genou	une baguette	un garçon
un singe	un escargot	un tigre	une guitare
la neige	une guenon	le concierge	un gâteau

2. Lis les textes suivants à haute voix.

a) Le concier**g**e et son fils Ser**g**e ont **g**rimpé dans le rideau du **g**ymnase. Ils ont dé**g**rin**g**olé et sont tombés sur les **g**enoux.

b) Un **g**arçon a fait un **g**a**g** pas très drôle. Il a collé une **g**omme **g**luante sous la chaise de la **g**entille Ol**g**a. La **g**omme a **g**onflé, **g**onflé et est devenue une **g**rosse **g**alette **g**rise.

Sons : gn

1 Lis les textes suivants à haute voix.

a) A**gn**ès, la tante de Gonzales, vit dans une monta**gn**e en Espa**gn**e. Elle soi**gn**e ses a**gn**eaux et ramasse des champi**gn**ons.

b) Grégoire n'est pas dans sa bai**gn**oire. Il se bai**gn**e dans le lac en compa**gn**ie d'un ori**gn**al un peu gro**gn**on.

c) Elle a oublié de se pei**gn**er. Elle a sai**gn**é du nez. Amédée lui a tiré le chi**gn**on. Elle s'est égrati**gn**é le front. Elle a trouvé une arai**gn**ée dans sa purée. Quelle journée !

d) Les ensei**gn**antes et les ensei**gn**ants de l'école sont priés d'accompa**gn**er les enfants au salon des vi**gn**erons qui se tient cette année à Montma**gn**y. Le salon des vi**gn**erons a été fondé l'an dernier... **gn**an**gn**an... **gn**an**gn**an...

e) Hourra ! L'équipe de Gonzales a ga**gn**é le tournoi de hockey de Saint-I**gn**ace. Tous ses coéquipiers ont si**gn**é leur nom sur son chandail.

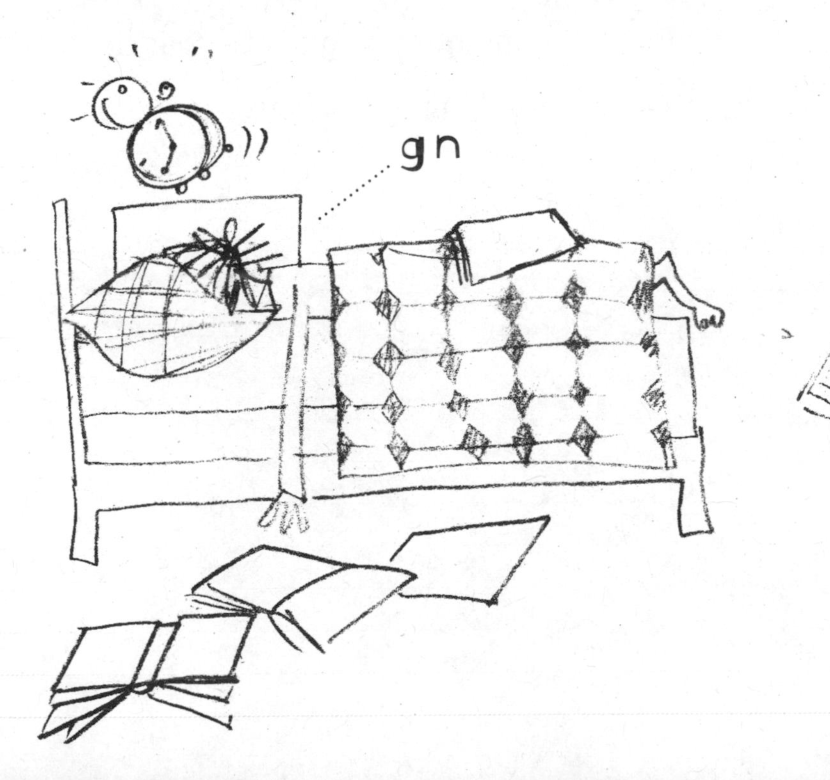

Sons : ille

1 Lis les phrases suivantes à haute voix.

a) Olga est dans sa coqu**ille**, mais elle est gent**ille**.

b) Elle joue aux qu**ille**s et elle mange des past**ille**s.

c) Elle m'a donné ses b**ille**s et ses chen**ille**s.

d) Sa fam**ille** comprend deux autres f**ille**s.

e) Gonzales marche avec des béqu**ille**s, il s'est foulé une chev**ille**.

f) Lancelot cherche la bisb**ille**.

g) Omar, arrête de manger des croust**ille**s !

h) Omar adore la crème glacée à la van**ille**.

i) Monsieur Goupil a fait un feu de brind**ille**s.

j) Cam**ille** a reçu des jonqu**ille**s.

k) Elle boit de la camom**ille**.

l) Elle nage comme une torp**ille**.

Sons : in, ain, ein

1 Lis les textes suivants à haute voix.

a) Ce mat**in**, Omar a fait du dess**in**. M**ain**tenant, il mange du p**ain** aux rais**in**s. Dem**ain**, il fera de la p**ein**ture avec son vois**in**.

b) Mon vois**in** a des lap**in**s dans son jard**in**. Ils ont fait leur maison sous un grand sap**in**.

c) Madame Mart**in** prend son fils par la m**ain**. Ils vont en tr**ain** chez leur cous**in** Al**ain**. Ils lui apportent pl**ein** de petits p**ain**s.

2 Complète les mots par les lettres **in**, **ain** ou **ein**.

un lap______	du rais______	du p______
le mat______	un jard______	un tr______
un sap______	un vois______	une m______
un dess______	un cous______	dem______

Sons : o, au, eau

1 Lis les textes suivants à haute voix.

a) **Au**jourd'hui, il fait ch**au**d. Les ois**eau**x chantent. J'ai un b**eau** chap**eau** et un nouv**eau** mant**eau** r**o**se.

b) C'est l'**au**t**o**mne. Je regarde par la fenêtre de l'**au**t**o**bus. Il y a b**eau**coup de m**o**t**o**s sur l'**au**t**o**route. Un gr**o**s bat**eau** j**au**ne passe sur le fleuve.

c) Je fais du pian**o** le jeudi. Je fais du jud**o** le vendredi. Le samedi, je joue **au**x d**o**min**o**s. Le dimanche, je mange des artich**au**ts et du gât**eau** au ch**o**c**o**lat.

2 Complète par les lettres **o**, **au** ou **eau**.

un ois______	une mot______	r______se
un chap______	du ch______colat	j______ne
un gât______	un pian______	ch______d
un bat______	un ______tobus	gr______s

Sons : oi

1 Lis les textes suivants à haute voix.

a) Omar a souvent faim le s**oi**r. Parf**oi**s, il mange deux ou tr**oi**s n**oi**x avant de dire bons**oi**r.

b) Lancelot dit que je ressemble à une vieille p**oi**re. M**oi**, je dis qu'il n'a pas de mém**oi**re. Il est bête comme une **oi**e. Il a une cervelle de petit p**oi**s.

c) Au m**oi**s de mai, un petit **oi**seau n**oi**r est tombé du t**oi**t. Je lui ai fait un nid dans une boîte en b**oi**s.

d) Il était une f**oi**s un r**oi** qui vivait dans un b**oi**s. Son château était un endr**oi**t très fr**oi**d. Pour se réchauffer, il lisait des hist**oi**res à haute v**oi**x.

e) Charles-Ant**oi**ne a planté des piv**oi**nes toute la s**oi**rée. Maintenant, il a s**oi**f. Il veut b**oi**re du jus de framb**oi**se.

f) Amédée dessine une ét**oi**le et un p**oi**sson. Mais c'est un maladr**oi**t. Il a les d**oi**gts pleins de peinture n**oi**re.

g) Il y a un lac derrière chez m**oi**. Quelquef**oi**s, je vais faire du bateau à v**oi**le avant de faire mes dev**oi**rs.

Sons : on

1 Lis les textes suivants à haute voix.

a) Lis**on** lance s**on** ball**on** jusqu'au plaf**on**d. Il retombe avec un grand b**on**d.

b) M**on** **on**cle Gast**on** joue du viol**on**. **On** l'entend dans toute la mais**on**. Du grenier jusqu'au sal**on**.

c) Ma chatte a trois chat**on**s. Ils s**on**t dans une boîte en cart**on**. Ils s'appellent P**on**p**on**, T**on**t**on** et Fist**on**.

d) Omar aime le th**on** au citr**on**. Il mange beaucoup de b**on**b**on**s. Souvent, il a de la c**on**fiture sur le ment**on**.

e) J'ai rêvé d'un m**on**stre aux yeux r**on**ds. Il avait un l**on**g nez et un drôle de nom. Il vivait dans la m**on**tagne avec s**on** mout**on**.

f) Lancelot n'est pas un très b**on** garç**on**. Il ne dit jamais b**on**jour. Il rac**on**te toujours des mens**on**ges.

g) Lé**on**tine a déchiré s**on** pantal**on**. Elle a perdu le bout**on** de s**on** capuch**on**. Elle n'est pas c**on**tente.

h) M**on** jamb**on** n'est pas b**on**. Il goûte le sav**on**. Je préfère t**on** mel**on**.

Sons : ph

1 Lis les phrases suivantes à haute voix.

a) Al**ph**onse, le cousin de Mélodie, est **ph**otogra**ph**e.

b) Il prend des **ph**otos de **ph**oques, de dau**ph**ins et d'élé**ph**ants.

c) José**ph**ine ne met jamais de point à la fin de ses **ph**rases.

d) Elle fait des fautes d'orthogra**ph**e.

e) So**ph**ie cherche le numéro de télé**ph**one de la **ph**armacie.

f) **Ph**ilippe ouvre la fenêtre quand il fait froid.

g) Les **ph**ares de la voiture éclairent la ferme.

h) La fille de **Ph**ilomène joue dans la farine.

2 Complète les mots par les lettres **ph** ou **f**.

____oque	télé____one	____oto	____are
dau____in	élé____ant	orthogra____e	____arine
____rase	____armacie	photogra____e	____roid
____rère	____aute	____enêtre	____in
____amille	____ête	____ille	____erme

Sons : s = z

1 Lis les textes suivants à haute voix.

a) Jo**s**éphine a apporté à l'école l'oi**s**eau que sa cou**s**ine lui a ramené d'Espagne. Ursule a apporté ses souris ro**s**es.

b) Serge habite une jolie mai**s**on. La cui**s**ine est très sombre, mais le soleil illumine le salon.

c) Mon cou**s**in fait sa vali**s**e. Il part en Russie samedi pour apprendre à semer la salade.

d) Amédée mange des ceri**s**es. Il crache les noyaux dans l'autobus scolaire. Il fait des cho**s**es stupides !

e) Olga est timide. Quand on lui parle, son vi**s**age devient tout rouge. Elle a du mal à avaler sa salive.

f) Lulu cherche ses ci**s**eaux dans son ca**s**ier. Mais son ca**s**ier est très en dé**s**ordre.

g) Une chanteu**s**e est venue rendre vi**s**ite à la classe de Mélodie. Elle a chanté des berceu**s**es, mais personne ne s'est endormi.

h) Ursule refu**s**e de s'asseoir sur cette chai**s**e gri**s**e. Elle la trouve sale et affreu**s**e.

Syllabe

1 Réécris les mots en séparant les syllabes par une barre.

b o n b o n

v e n d r e d i

c r o c o d i l e

s o u r i s

k a n g o u r o u

d i m a n c h e

j e u d i

c i n é m a

f r o m a g e

2 Dans la phrase suivante, surligne en jaune les mots d'une syllabe, en bleu les mots de deux syllabes, en vert les mots de trois syllabes et en rose les mots de quatre syllabes.

Le lundi, Lancelot et son père vont au cinéma avec leur amie Joséphine.

2e période

MATHÉMATIQUE

Addition

Voir aussi *soustraction*.

1 Observe les illustrations, puis remplis les cases.

a)

 +  = 5

3 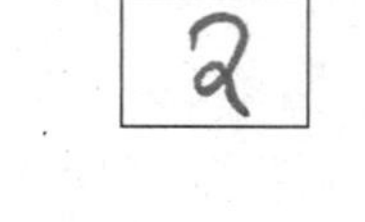

b)

 +  = 

5 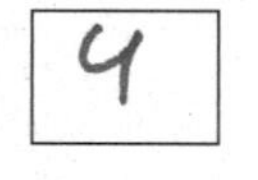

c)

 +  = 9

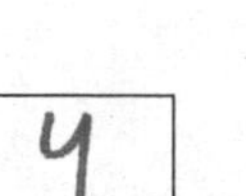 

2 Remplis les cases par des points et par des nombres. Inspire-toi de l'exemple.

a)

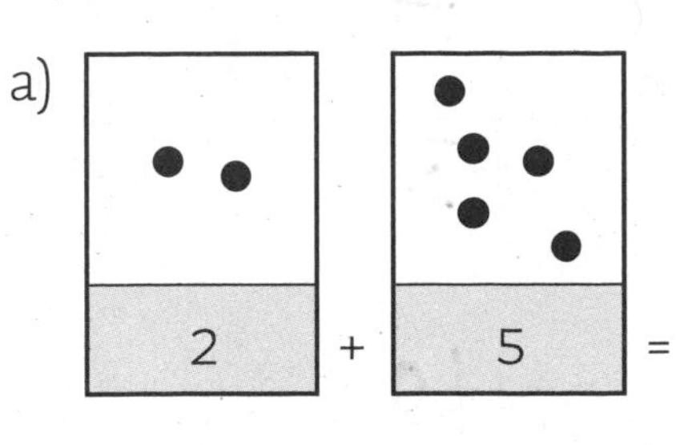
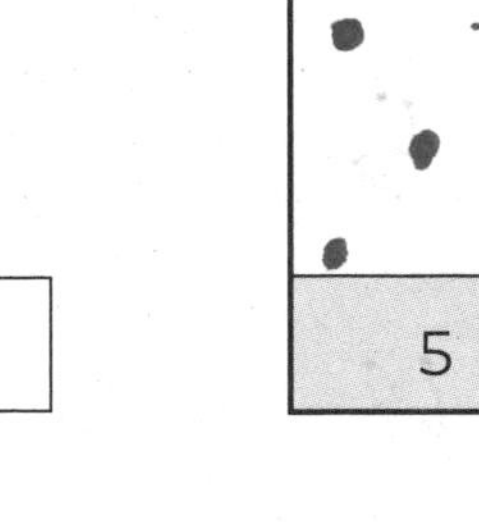

2 + 5 = 7

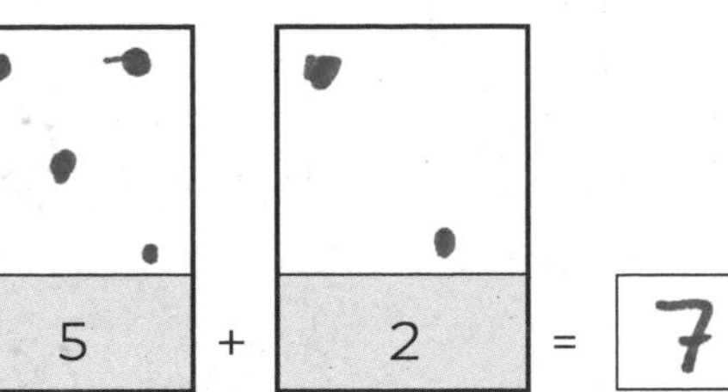

5 + 2 = 7

b)

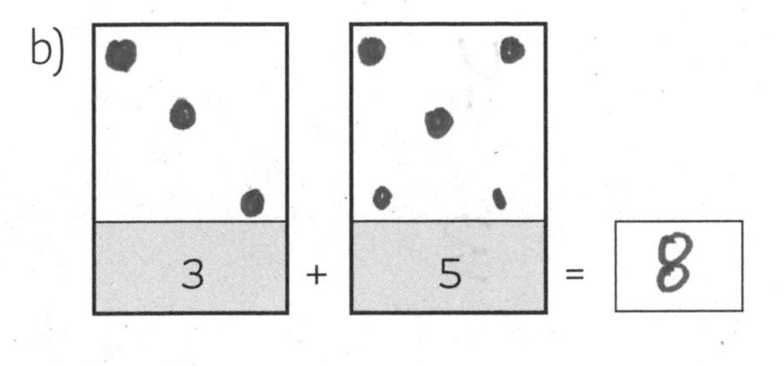

3 + 5 = 8

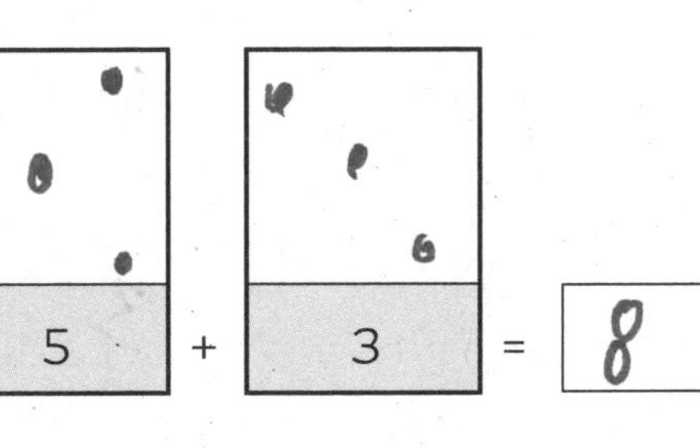

5 + 3 = 8

c)

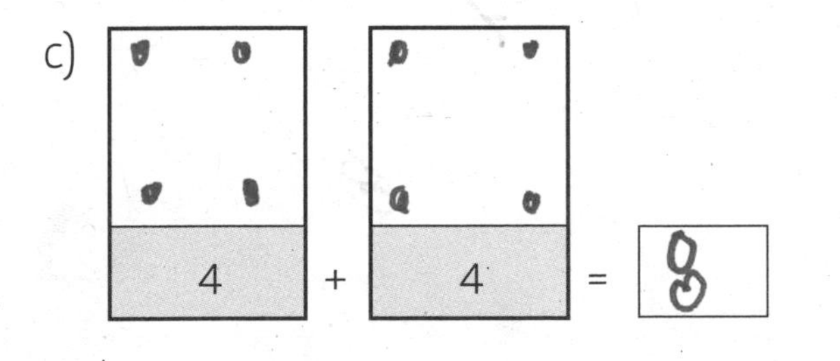

4 + 4 = 8

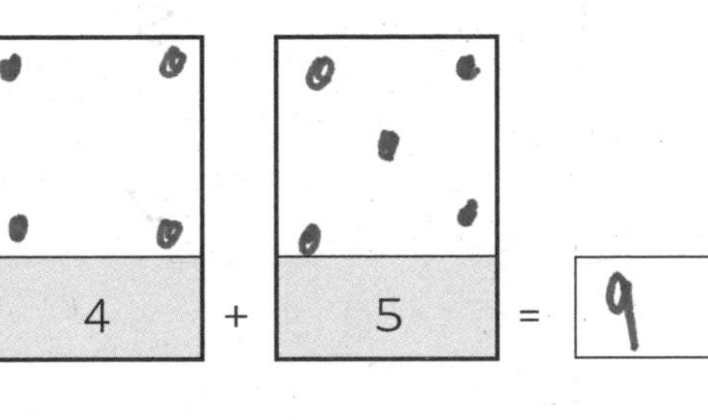

4 + 5 = 9

d)

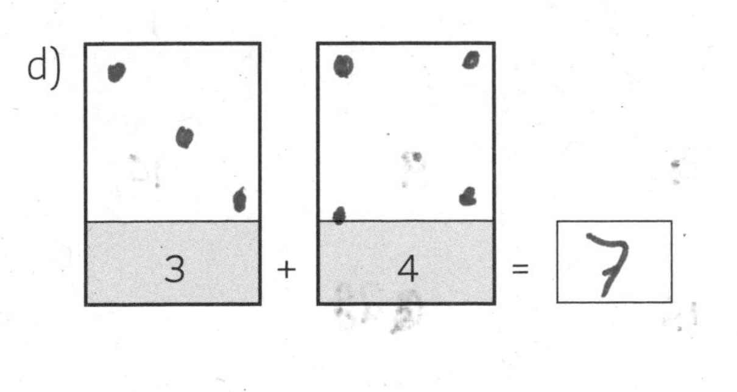

3 + 4 = 7

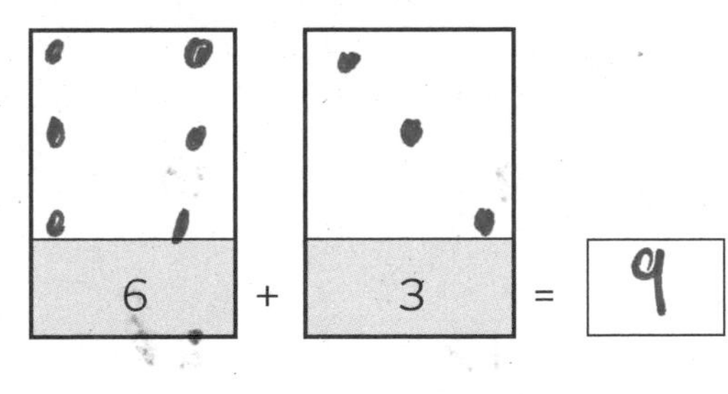

6 + 3 = 9

e)

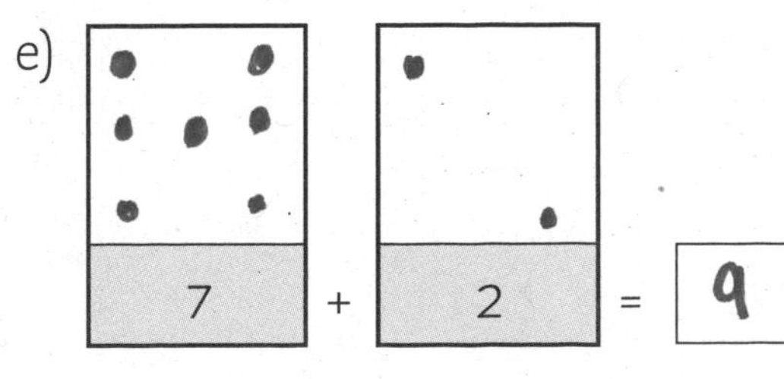

7 + 2 = 9

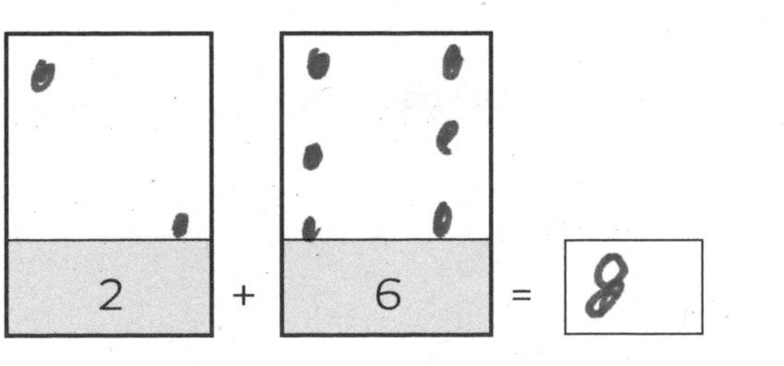

2 + 6 = 8

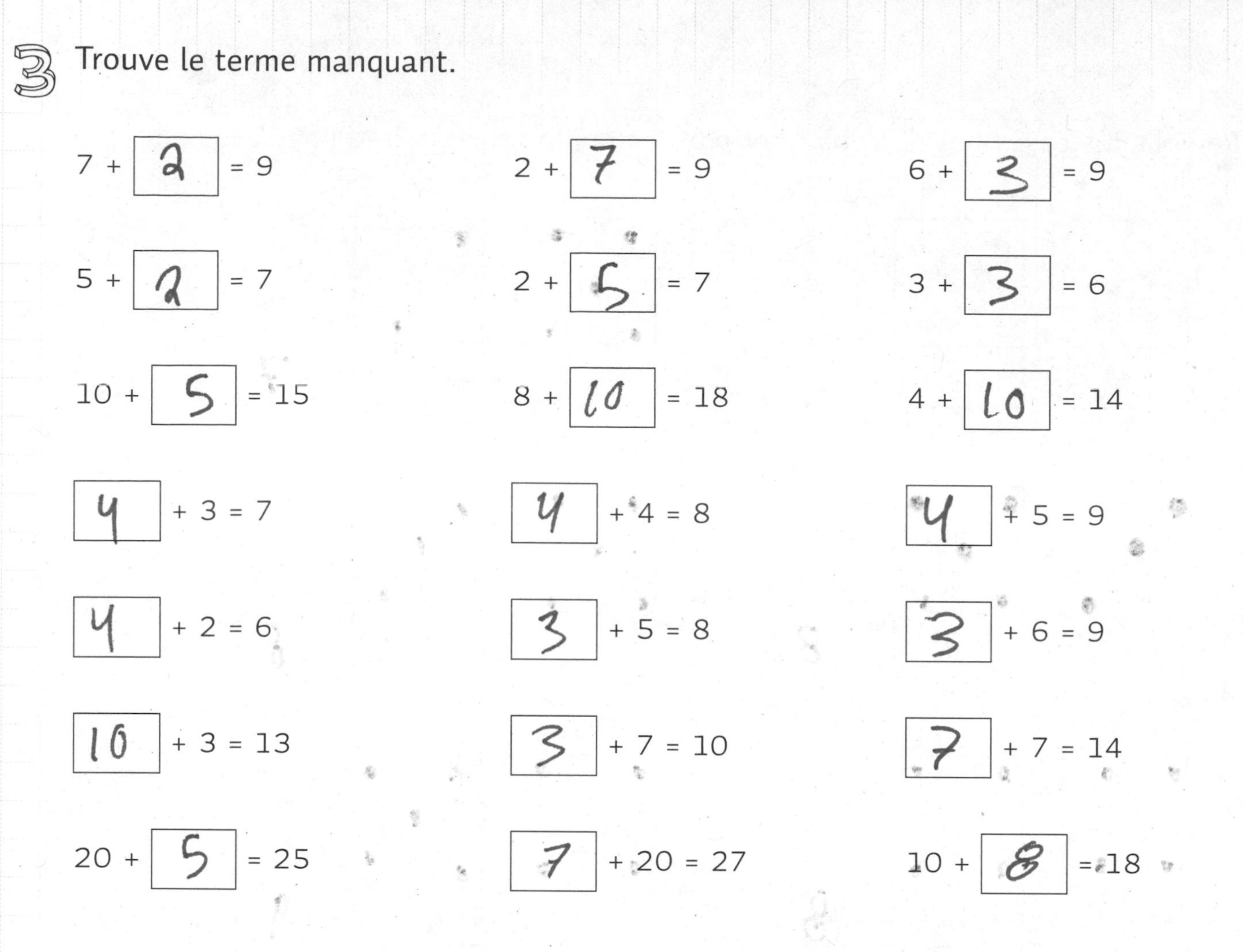

3 Trouve le terme manquant.

7 + [2] = 9	2 + [7] = 9	6 + [3] = 9
5 + [2] = 7	2 + [5] = 7	3 + [3] = 6
10 + [5] = 15	8 + [10] = 18	4 + [10] = 14
[4] + 3 = 7	[4] + 4 = 8	[4] + 5 = 9
[4] + 2 = 6	[3] + 5 = 8	[3] + 6 = 9
[10] + 3 = 13	[3] + 7 = 10	[7] + 7 = 14
20 + [5] = 25	[7] + 20 = 27	10 + [8] = 18

4 Sans faire les calculs, entoure d'une même couleur les additions qui ont la même somme.

a) 6 + 3	5 + 4	2 + 8	3 + 6	4 + 5	8 + 2
b) 10 + 5	15 + 2	5 + 23	5 + 10	23 + 5	2 + 15
c) 14 + 12	25 + 32	43 + 32	12 + 14	32 + 43	32 + 25

5 Effectue les additions. Utilise la méthode de ton choix.

12 + 15	23 + 16

32 + 14	22 + 22

14 + 21	35 + 13

51 + 32
44 + 32
65 + 23
55 + 34
43 + 52
72 + 26

6 Problèmes

a) Aujourd'hui, en allant à l'école, Lancelot a sauté dans 10 flaques d'eau. En revenant de l'école, il a sauté dans 6 flaques. Dans combien de flaques d'eau a-t-il sauté en tout ?

Démarche	Réponse
allant / revenant OOOOO OOOOO + OOO OOO = 16	$10 + 6 = 16$ 16

b) Joséphine a fait 5 fautes dans son devoir. Amédée a fait 8 fautes de plus que Joséphine. Combien de fautes Amédée a-t-il faites ?

Démarche	Réponse
Josephine / Amédée OOOOO	13 $5 + 8 = 13$

c) Ursule a 3 souris grises, 3 souris roses et 4 tortues. Combien d'animaux a-t-elle ?

Démarche	Réponse
$3 + 3 + 4 = 10$	10

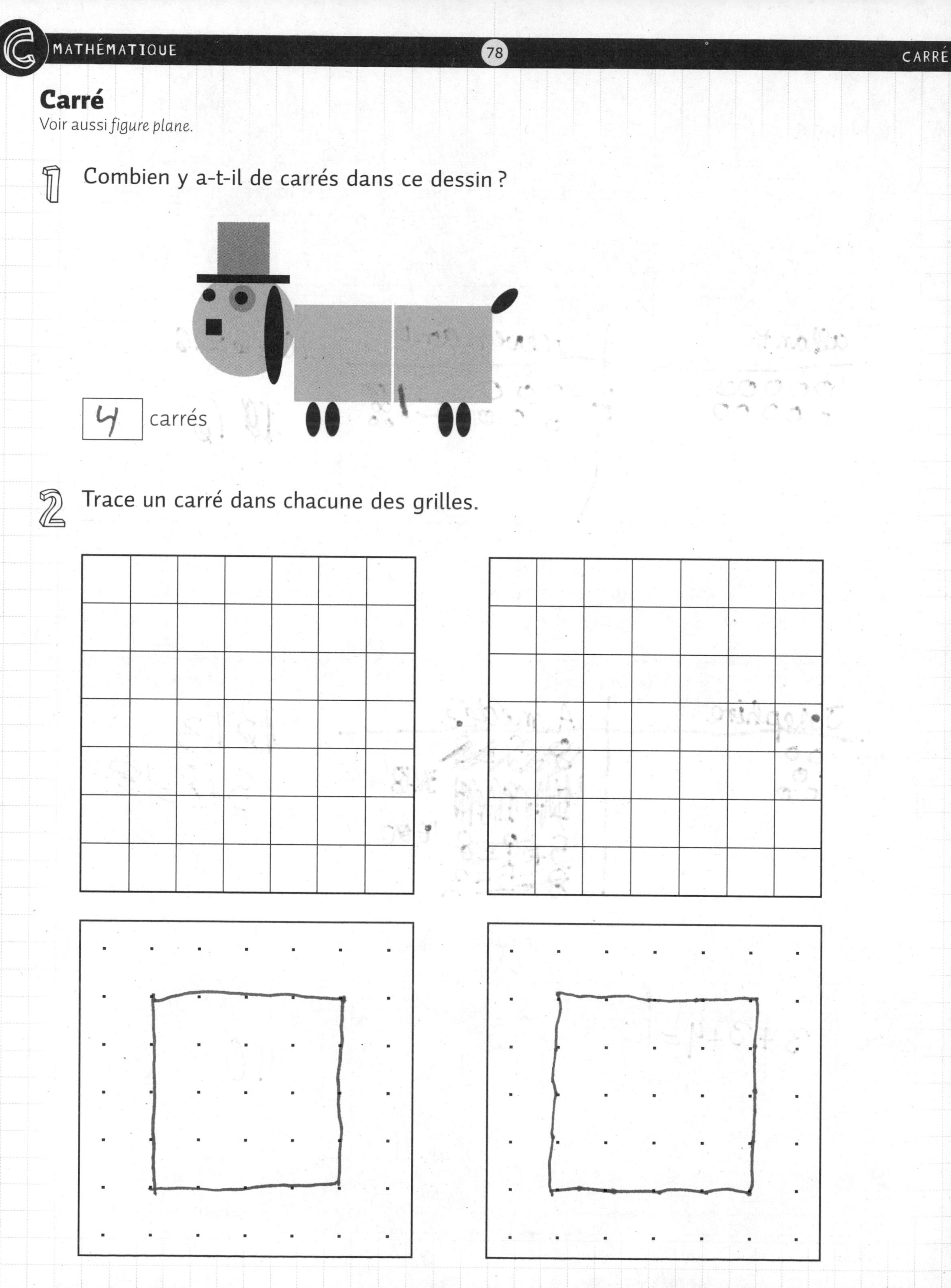

Carré

Voir aussi *figure plane.*

1. Combien y a-t-il de carrés dans ce dessin ?

4 carrés

2. Trace un carré dans chacune des grilles.

Centaine

Voir aussi *décomposer les nombres, dizaine, unité.*

1 Fais des groupements par cent, puis par dix et remplis les cases.

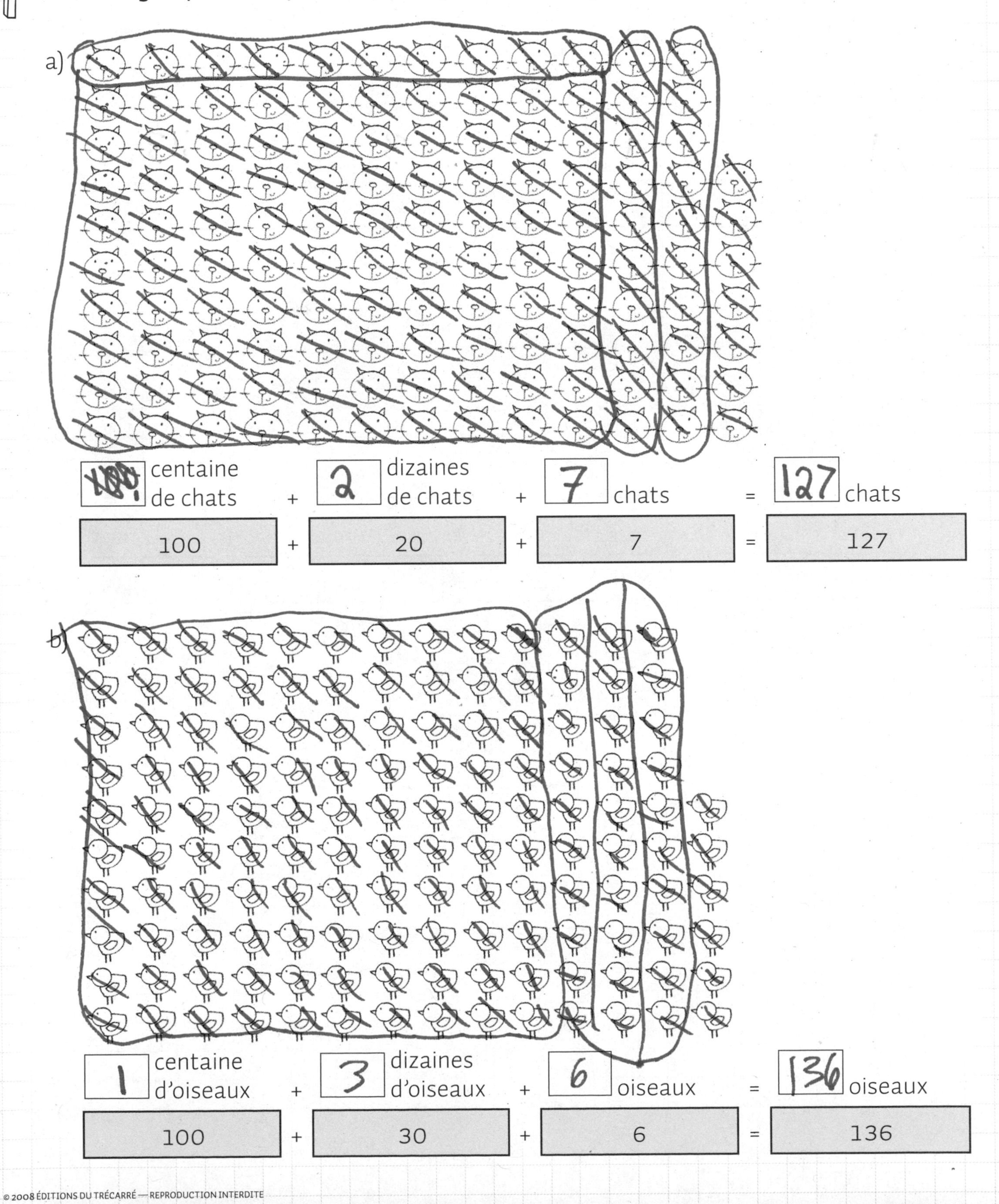

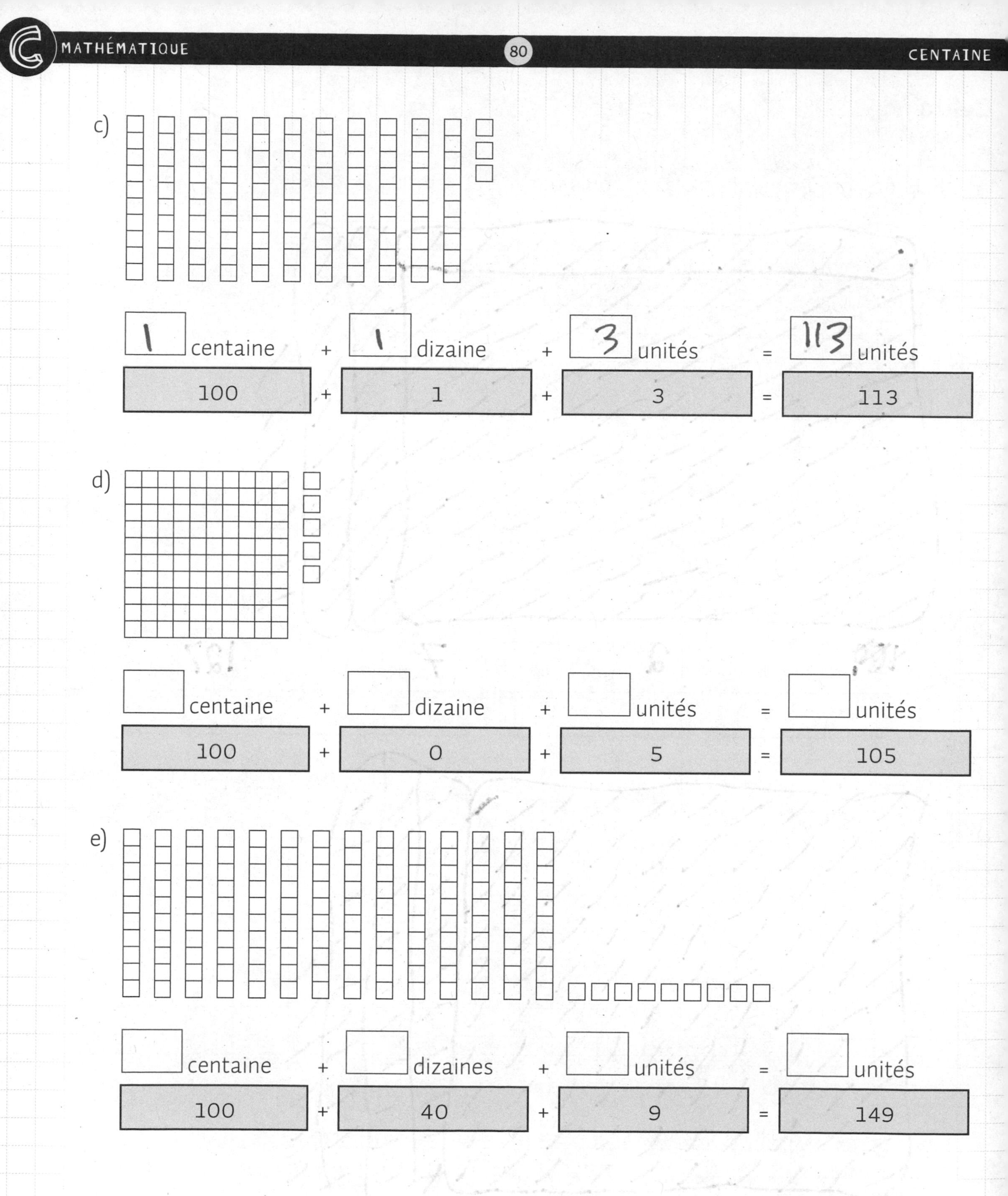

c)

1 centaine + 1 dizaine + 3 unités = 113 unités

100	+	1	+	3	=	113

d)

centaine + dizaine + unités = unités

100	+	0	+	5	=	105

e)

centaine + dizaines + unités = unités

100	+	40	+	9	=	149

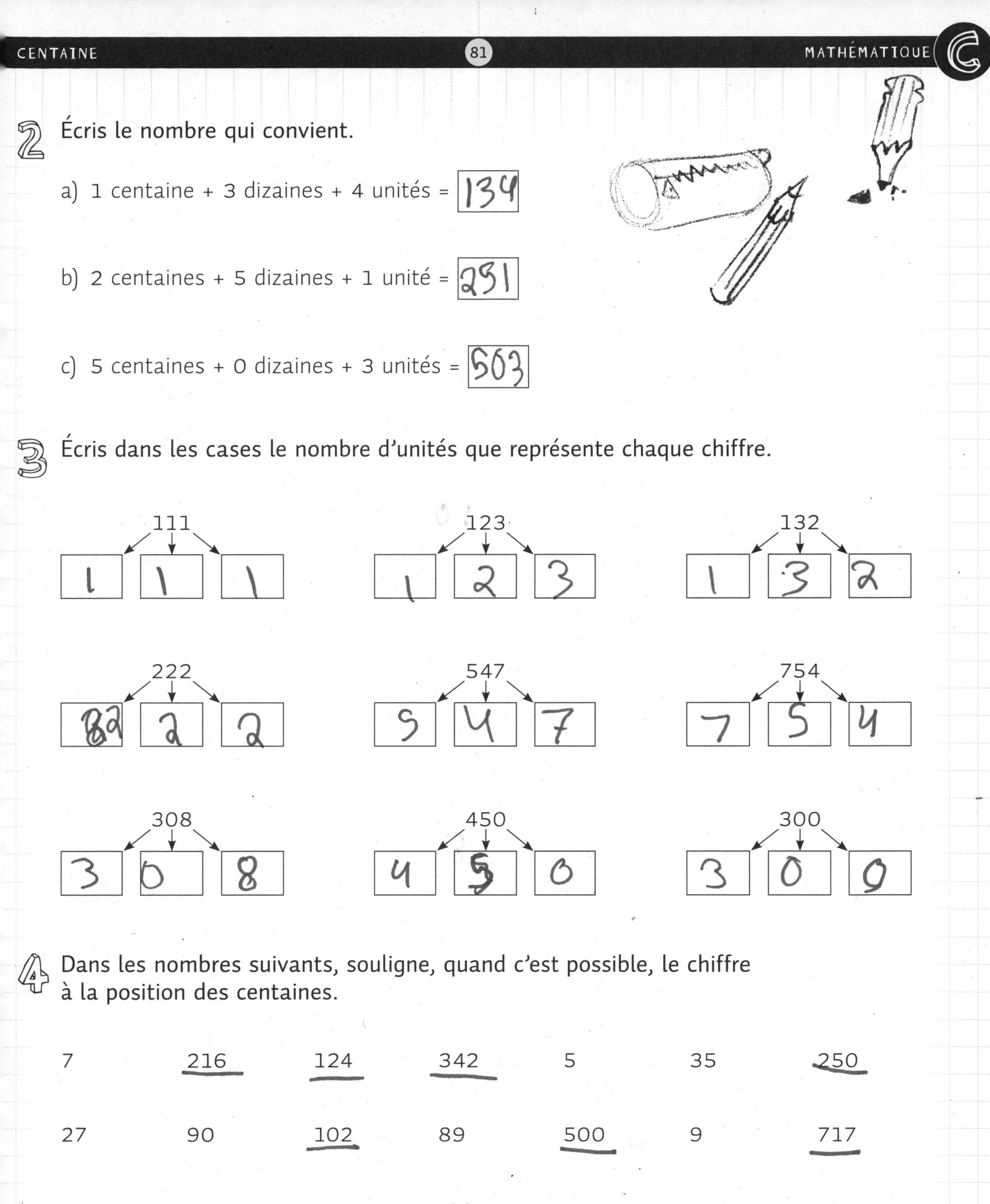

2 Écris le nombre qui convient.

a) 1 centaine + 3 dizaines + 4 unités = 134

b) 2 centaines + 5 dizaines + 1 unité = 251

c) 5 centaines + 0 dizaines + 3 unités = 503

3 Écris dans les cases le nombre d'unités que représente chaque chiffre.

111			123			132		
1	1	1	1	2	3	1	3	2

222			547			754		
82	2	2	5	4	7	7	5	4

308			450			300		
3	0	8	4	5	0	3	0	0

4 Dans les nombres suivants, souligne, quand c'est possible, le chiffre à la position des centaines.

7 216 124 342 5 35 250

27 90 102 89 500 9 717

Cercle

Voir aussi *figure plane*.

1 Combien y a-t-il de cercles dans chaque dessin ?

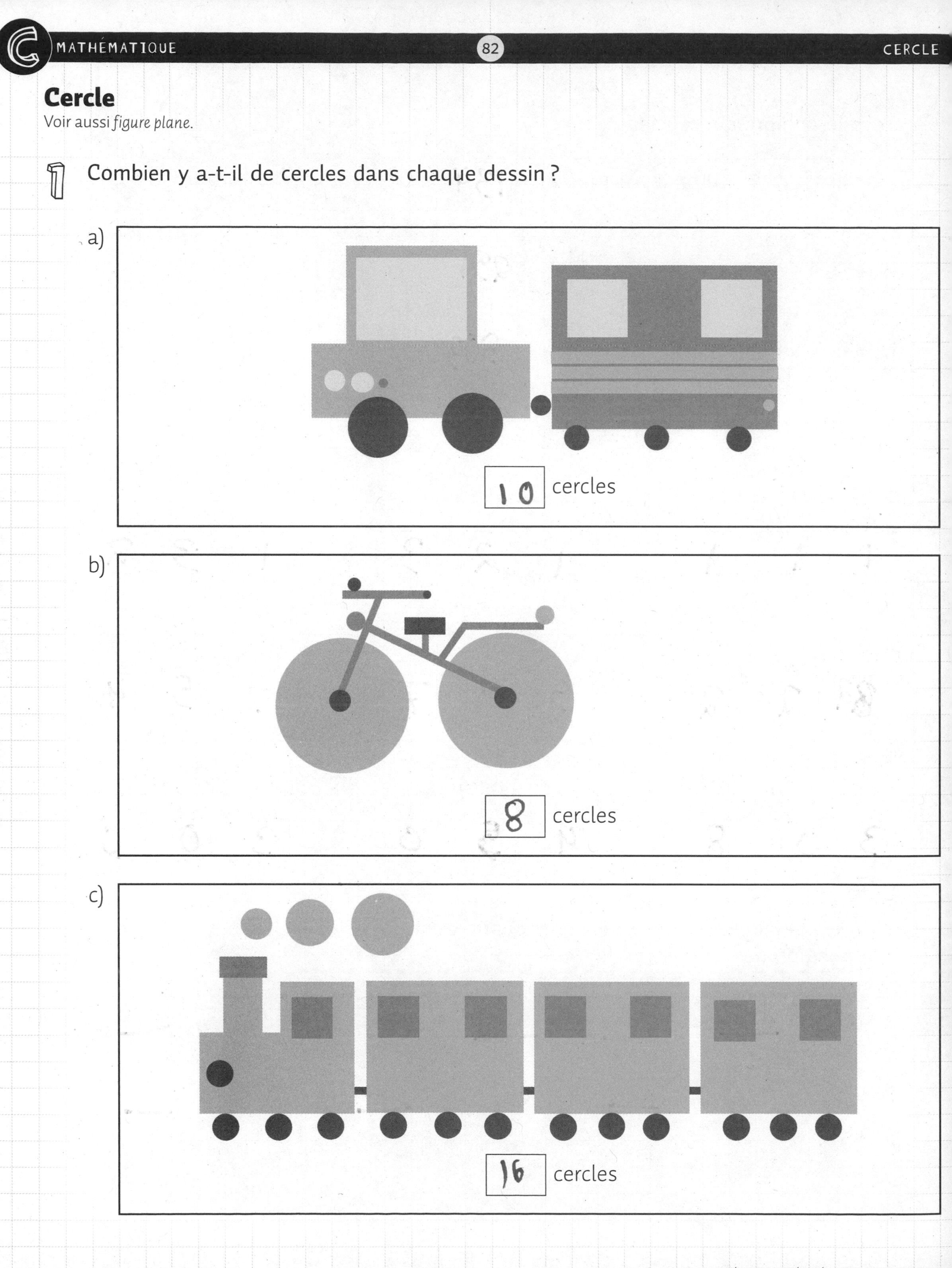

a) 10 cercles

b) 8 cercles

c) 16 cercles

Comparer les nombres

Voir aussi *centaine, dizaine, unité.*

1 Écris le nombre qui vient immédiatement **avant**.

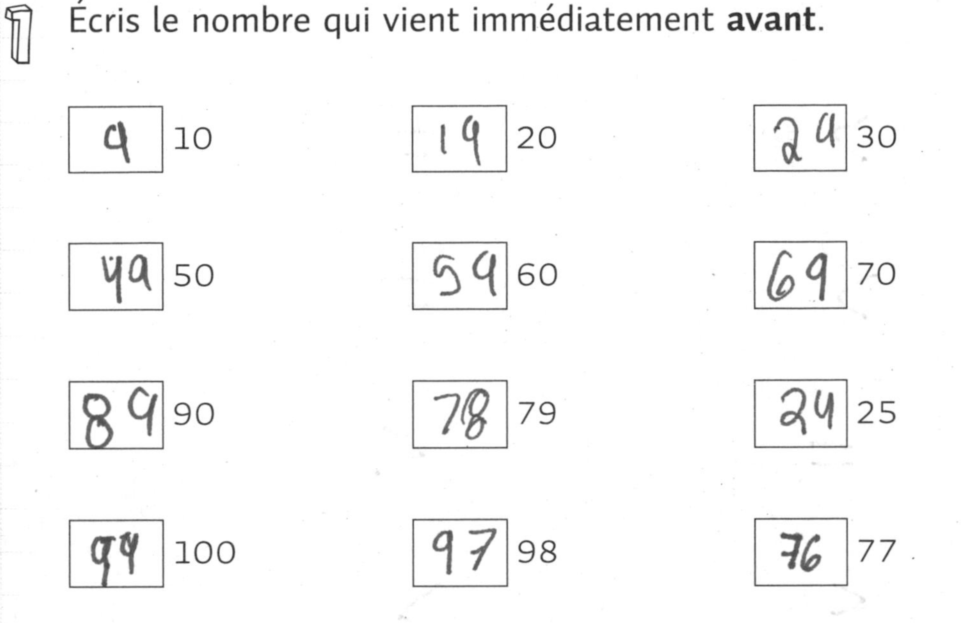

___ 10	___ 20	___ 30	___ 40
___ 50	___ 60	___ 70	___ 80
___ 90	___ 79	___ 25	___ 89
___ 100	___ 98	___ 77	___ 45

2 Écris le nombre qui vient immédiatement **après**.

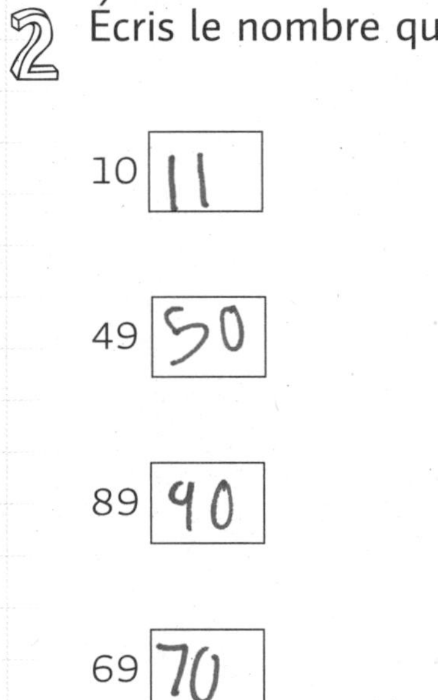
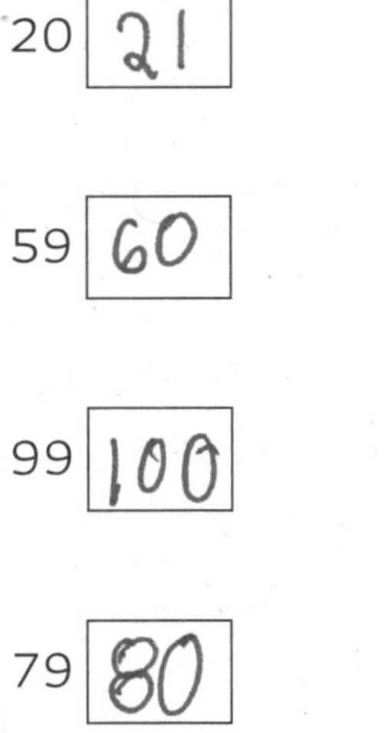
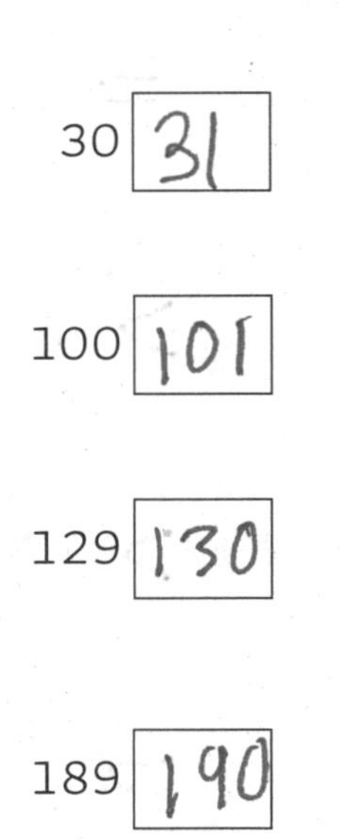
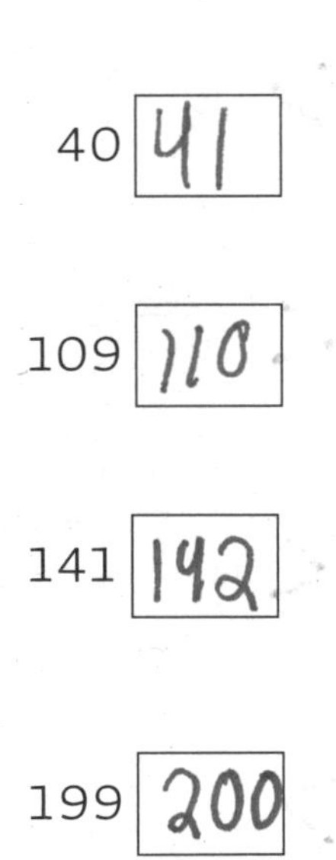

10 ___	20 ___	30 ___	40 ___
49 ___	59 ___	100 ___	109 ___
89 ___	99 ___	129 ___	141 ___
69 ___	79 ___	189 ___	199 ___

3 Écris dans les cases le signe >, < ou =.

4 < 7	7 > 4	4 = 4
3 < 5	8 > 7	6 = 6
9 > 8	10 = 10	9 < 10
2 > 1	5 < 6	8 > 6
14 > 13	27 = 27	20 > 10
15 < 17	32 > 23	23 = 23
56 < 65	89 > 70	88 < 90
54 > 45	86 > 68	99 < 100
101 < 110	130 > 103	110 = 110

Cône

Voir aussi *solide*.

1 Entoure les objets qui ressemblent à un cône.

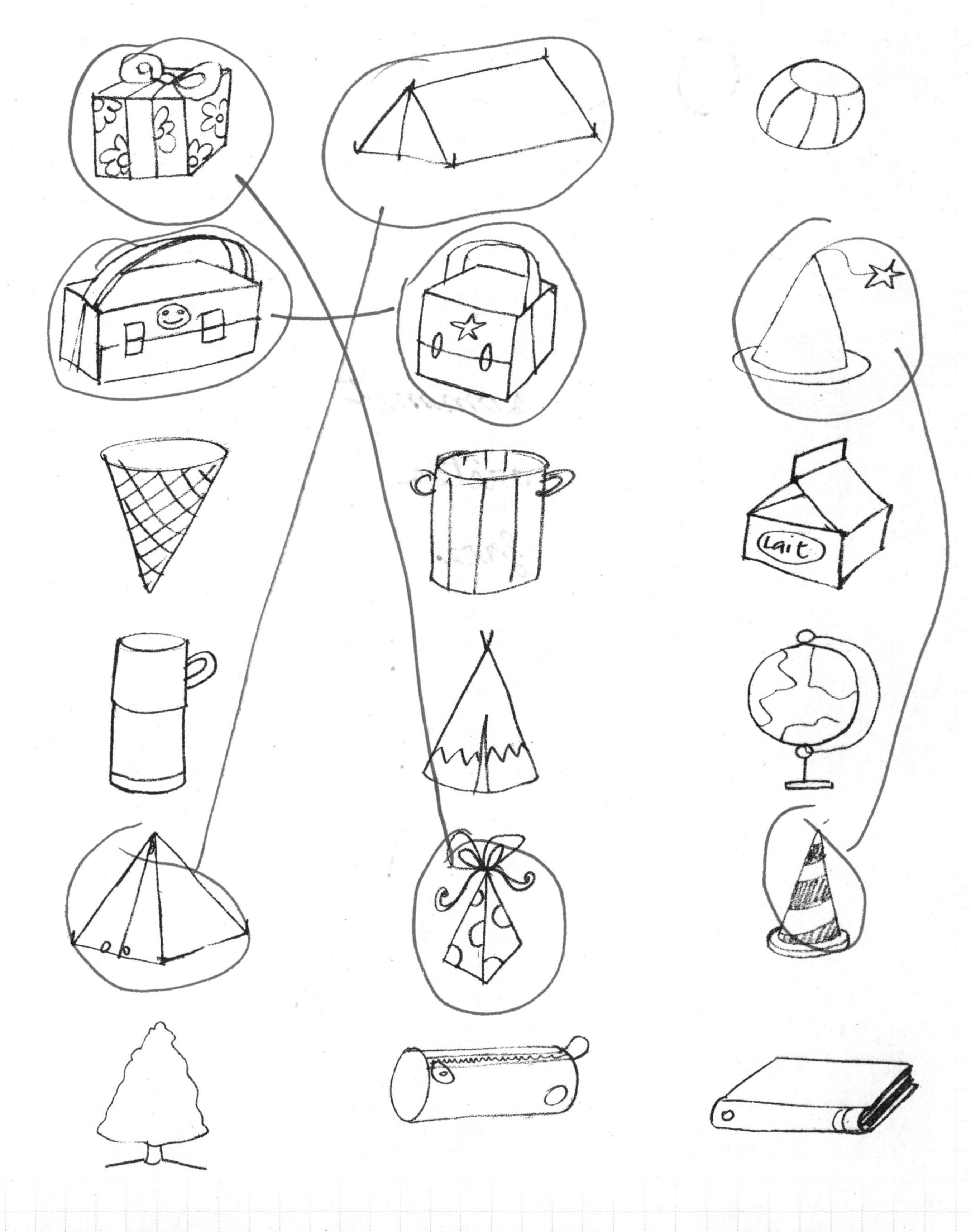

2 Entoure les figures planes qui permettent de construire un cône.

3 Écris les mots qui conviennent, puis réponds aux questions.

sommet

arêtes

face

a) Combien de faces possède un cône ? 1

b) Combien de sommets possède un cône ? 1

c) Combien d'arêtes possède un cône ? 1

Cube

Voir aussi *solide*.

1 Entoure les objets qui ressemblent à un cube.

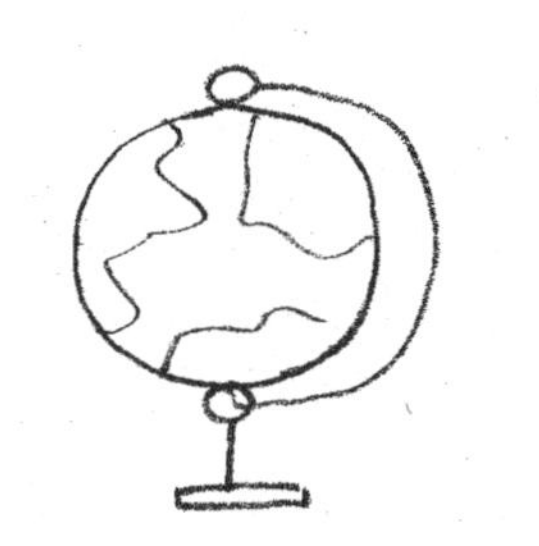
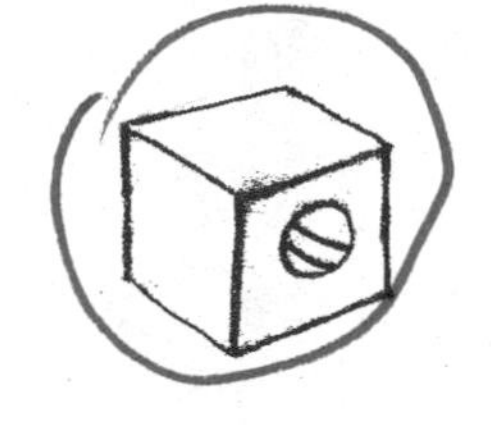

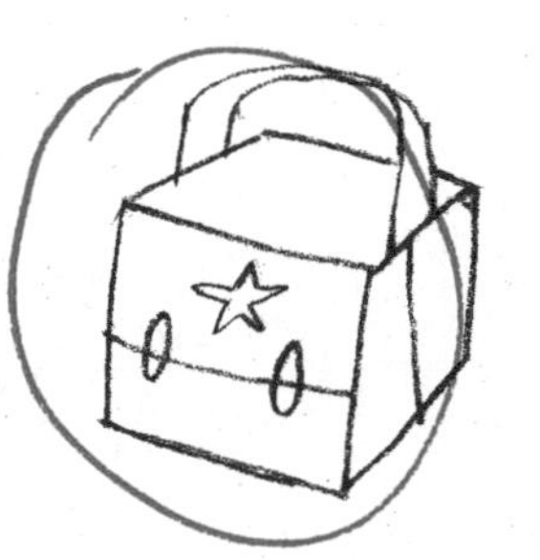
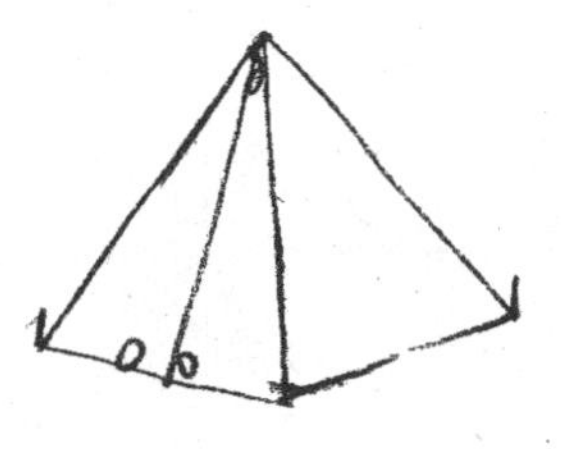
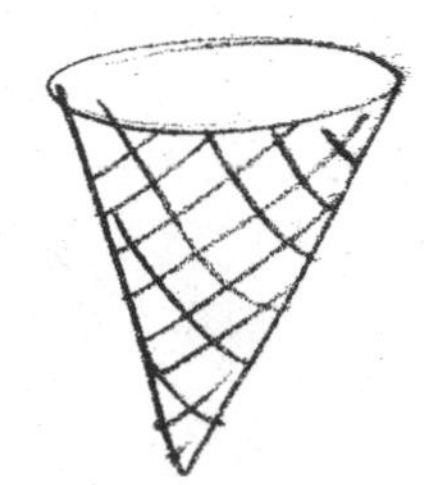
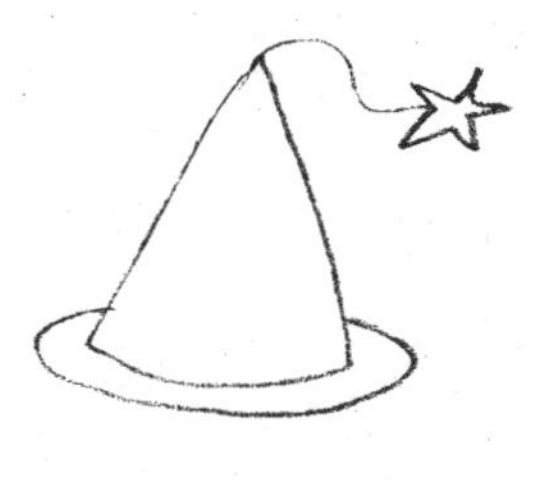
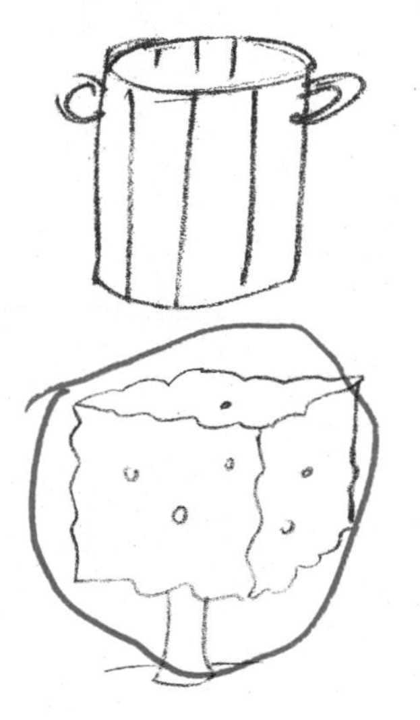

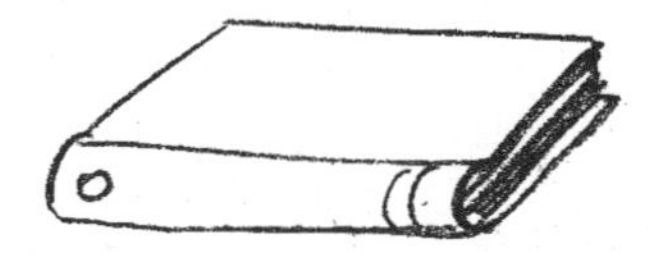

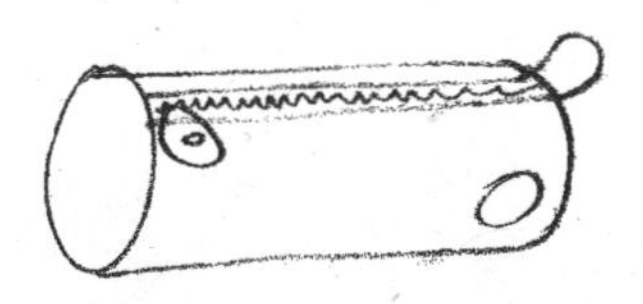
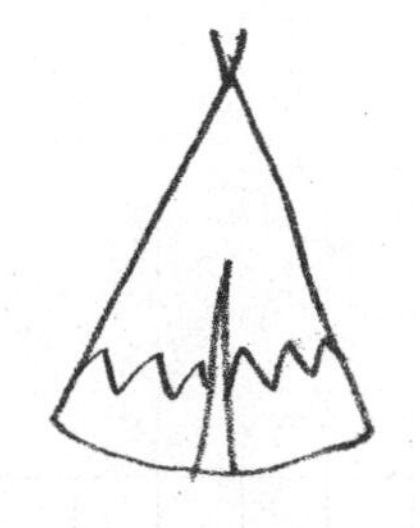
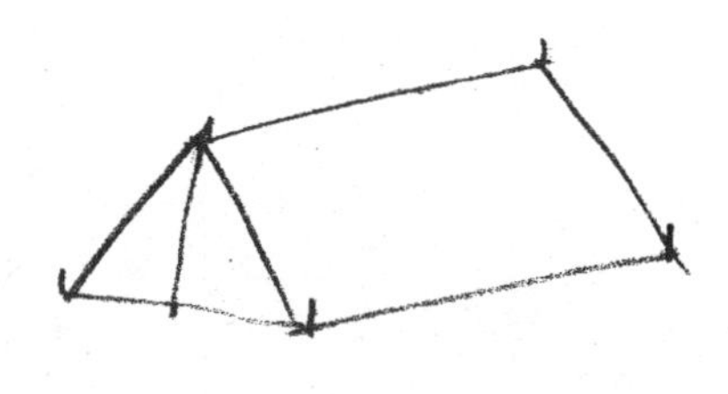

2 Entoure les figures planes qui permettent de construire un cube.

a)

b)

c)

d)

3 Écris les mots qui conviennent, puis réponds aux questions.

a) Combien de faces possède un cube ?

b) Combien de sommets possède un cube ?

c) Combien d'arêtes possède un cube ?

Cylindre

Voir aussi *solide*.

1 Entoure les objets qui ressemblent à un cylindre.

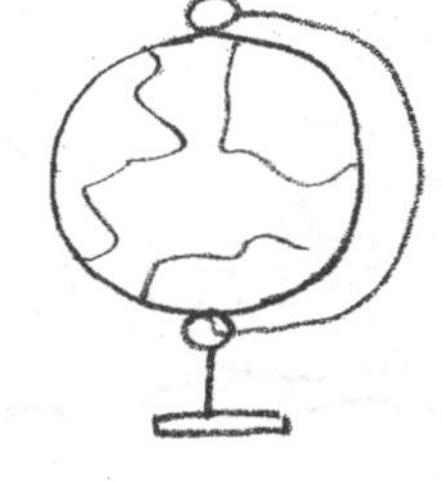

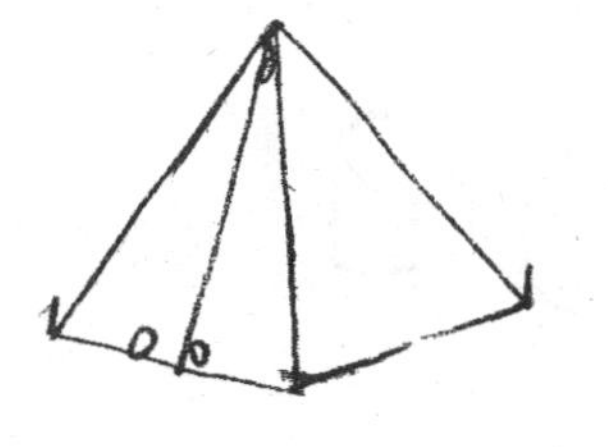
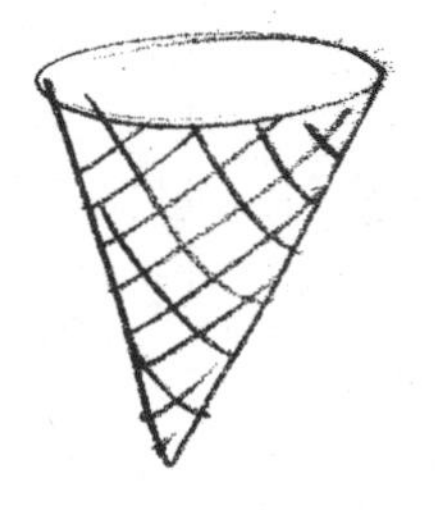
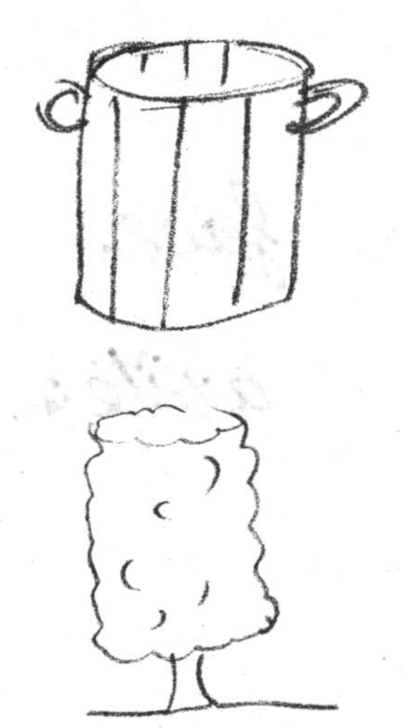

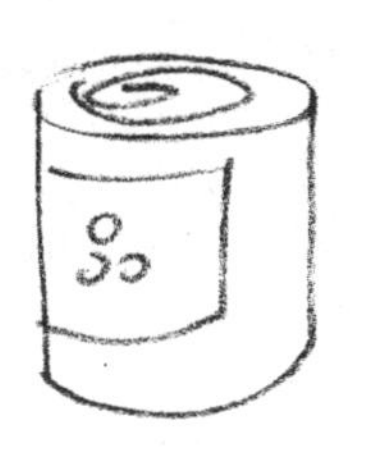
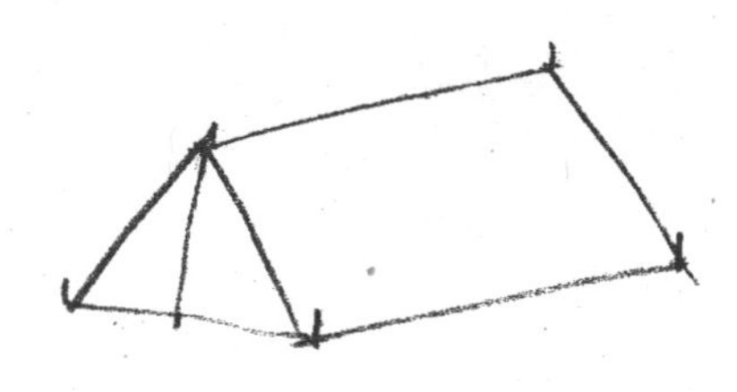
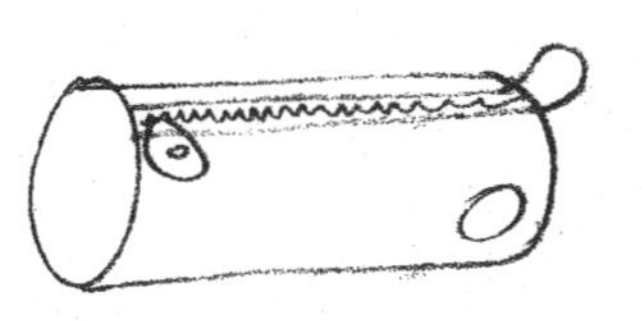

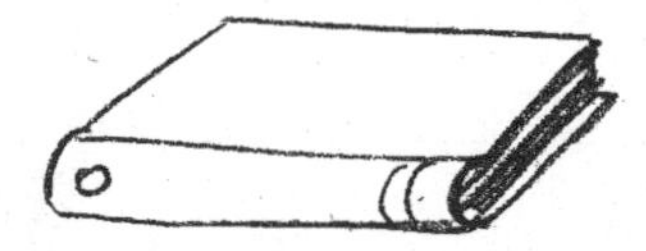
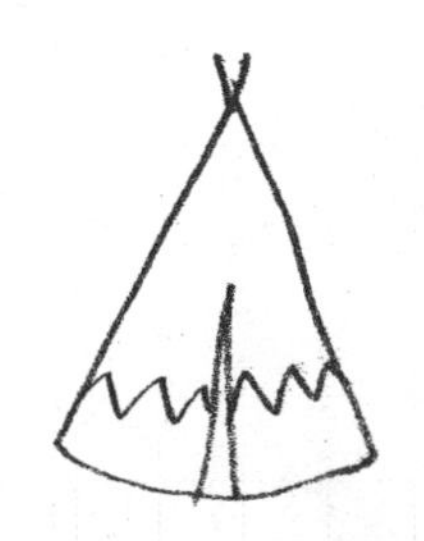
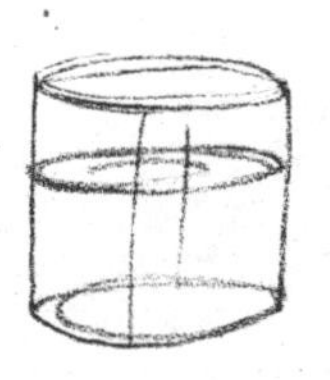

2 Entoure les figures planes qui permettent de construire un cylindre.

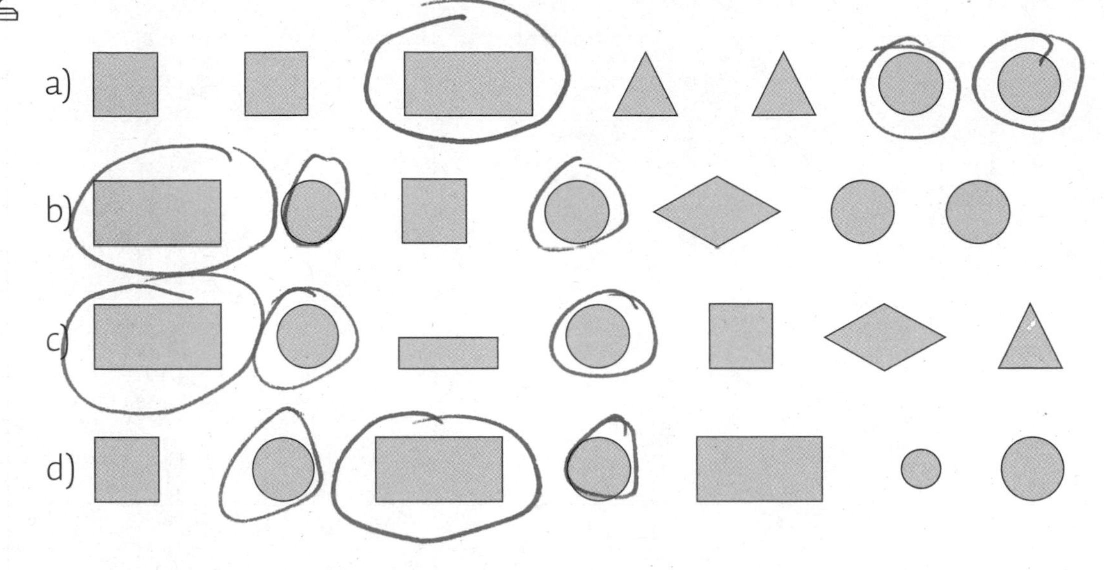

3 Écris les mots qui conviennent, puis réponds aux questions.

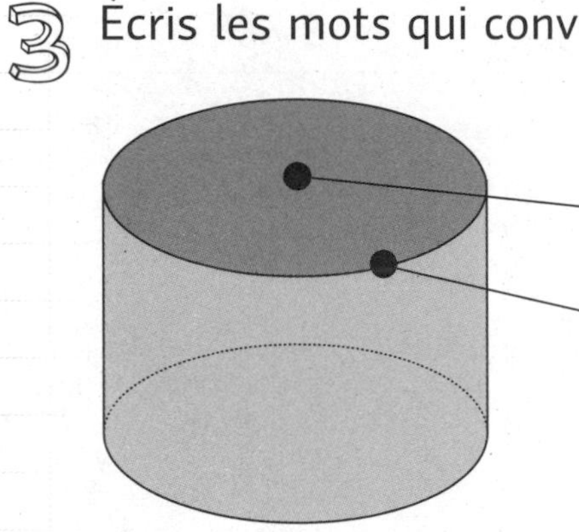

face

arêtes

a) Combien de faces possède un cylindre ? 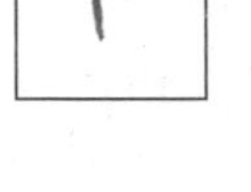

b) Combien de sommets possède un cylindre ? 

c) Combien d'arêtes possède un cylindre ? 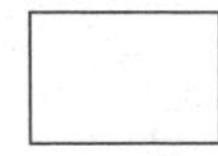

Décomposer les nombres

Voir aussi *centaine, dizaine, unité.*

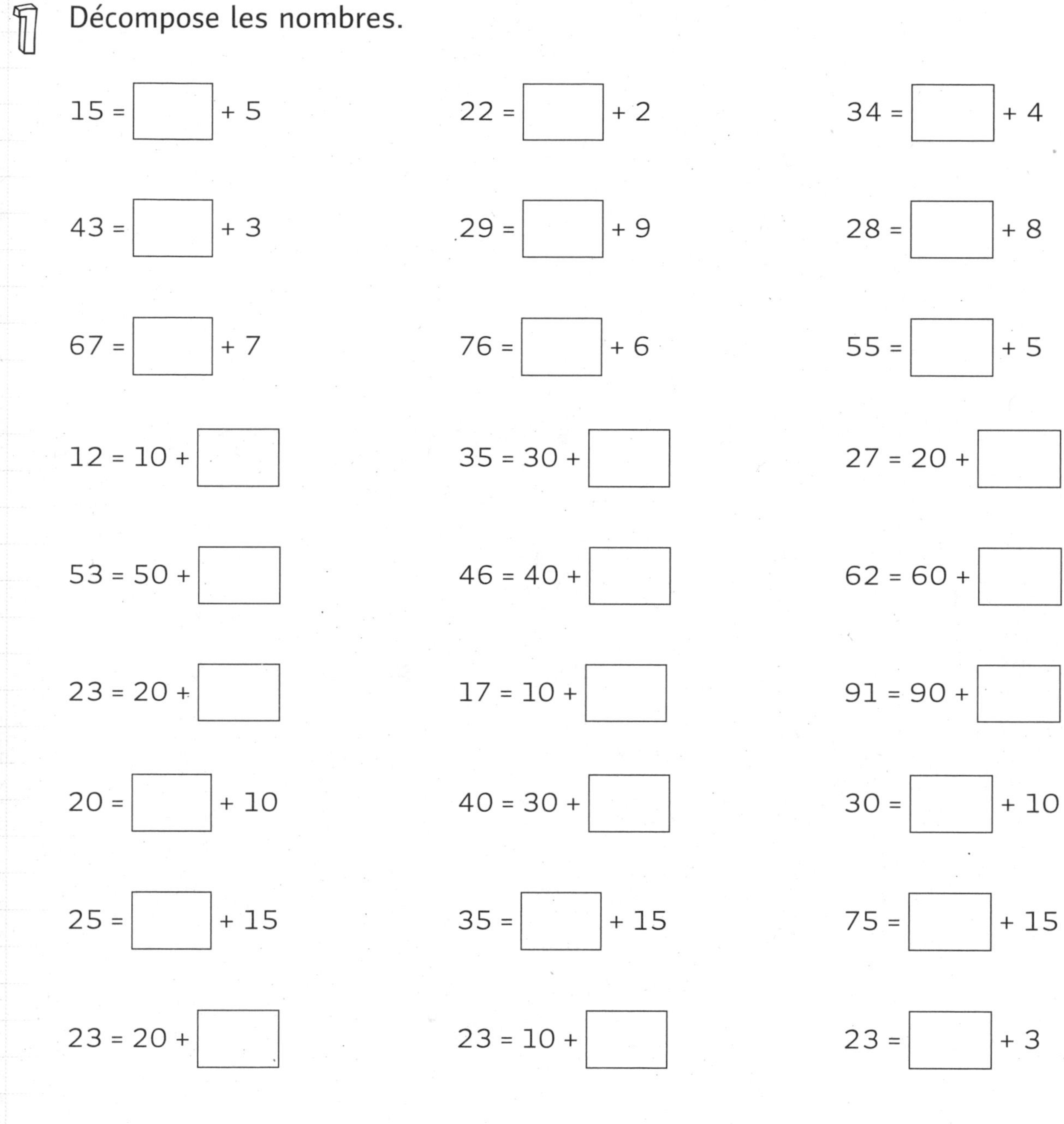

1 Décompose les nombres.

15 = ☐ + 5	22 = ☐ + 2	34 = ☐ + 4
43 = ☐ + 3	29 = ☐ + 9	28 = ☐ + 8
67 = ☐ + 7	76 = ☐ + 6	55 = ☐ + 5
12 = 10 + ☐	35 = 30 + ☐	27 = 20 + ☐
53 = 50 + ☐	46 = 40 + ☐	62 = 60 + ☐
23 = 20 + ☐	17 = 10 + ☐	91 = 90 + ☐
20 = ☐ + 10	40 = 30 + ☐	30 = ☐ + 10
25 = ☐ + 15	35 = ☐ + 15	75 = ☐ + 15
23 = 20 + ☐	23 = 10 + ☐	23 = ☐ + 3

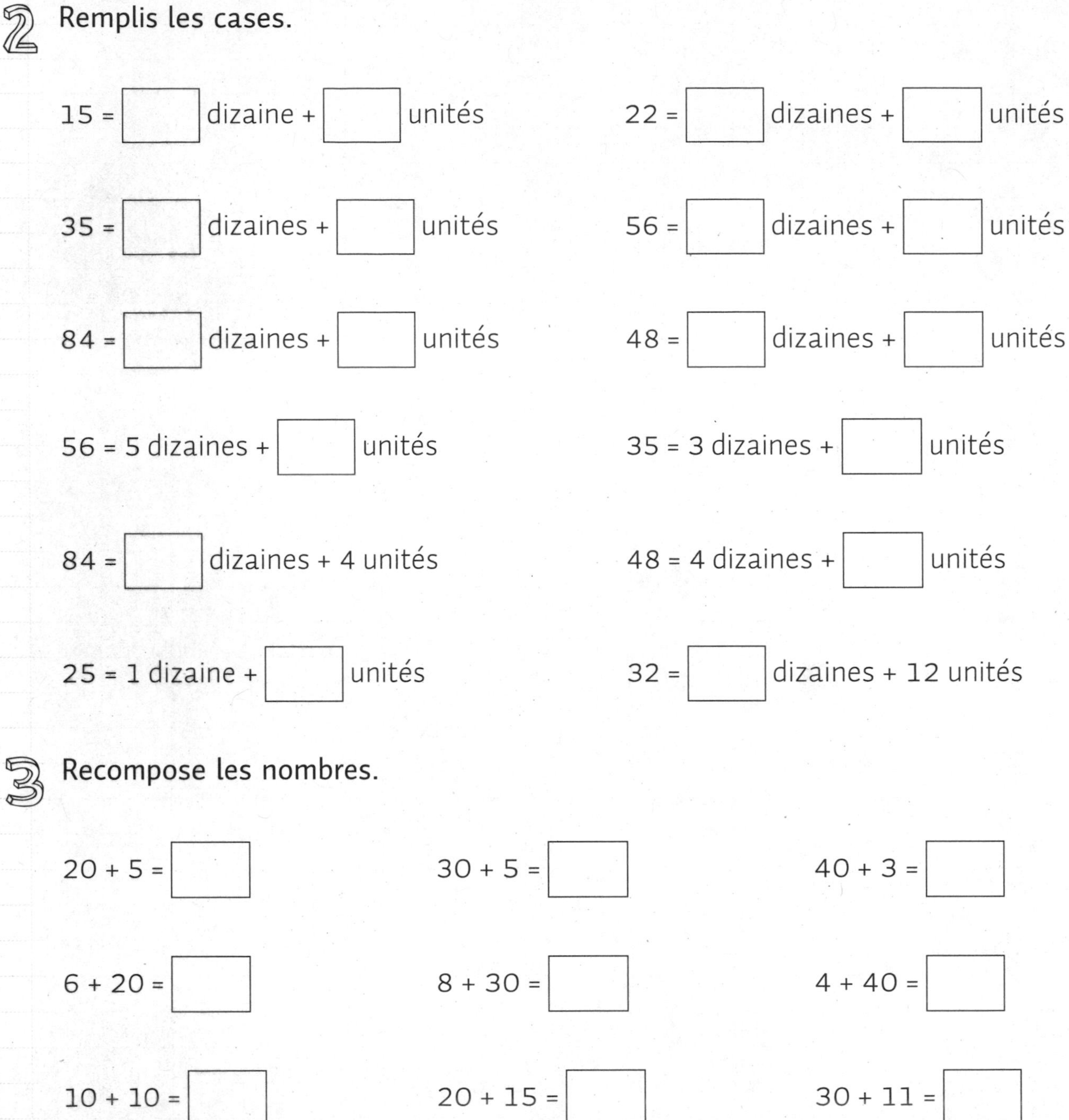

2 Remplis les cases.

15 = ☐ dizaine + ☐ unités

22 = ☐ dizaines + ☐ unités

35 = ☐ dizaines + ☐ unités

56 = ☐ dizaines + ☐ unités

84 = ☐ dizaines + ☐ unités

48 = ☐ dizaines + ☐ unités

56 = 5 dizaines + ☐ unités

35 = 3 dizaines + ☐ unités

84 = ☐ dizaines + 4 unités

48 = 4 dizaines + ☐ unités

25 = 1 dizaine + ☐ unités

32 = ☐ dizaines + 12 unités

3 Recompose les nombres.

20 + 5 = ☐

30 + 5 = ☐

40 + 3 = ☐

6 + 20 = ☐

8 + 30 = ☐

4 + 40 = ☐

10 + 10 = ☐

20 + 15 = ☐

30 + 11 = ☐

Division

1 Observe les illustrations, puis remplis les cases.

a)

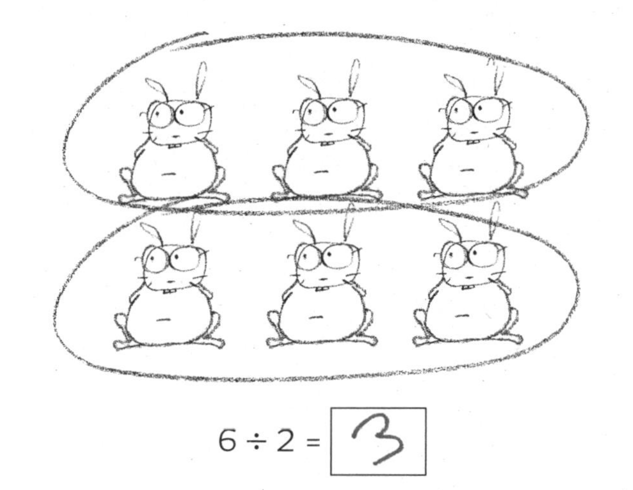

$6 \div 2 =$ 3

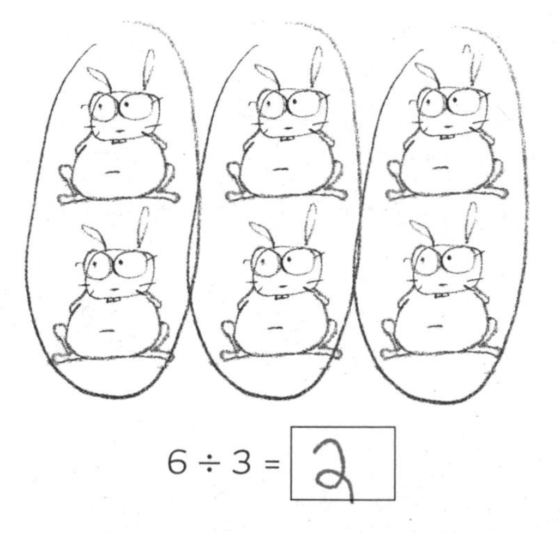

$6 \div 3 =$ 2

b)

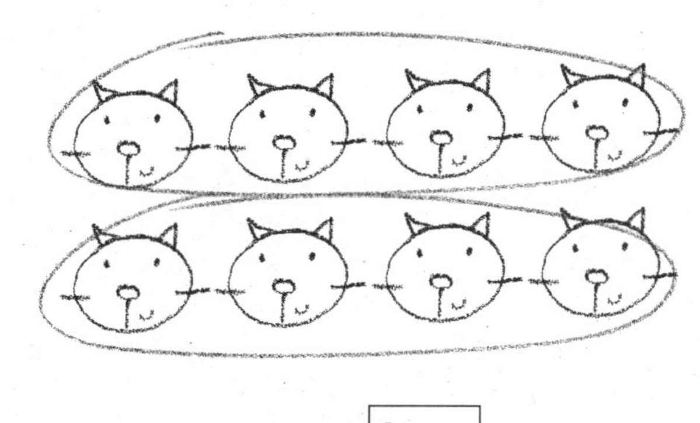

$8 \div 2 =$ 4

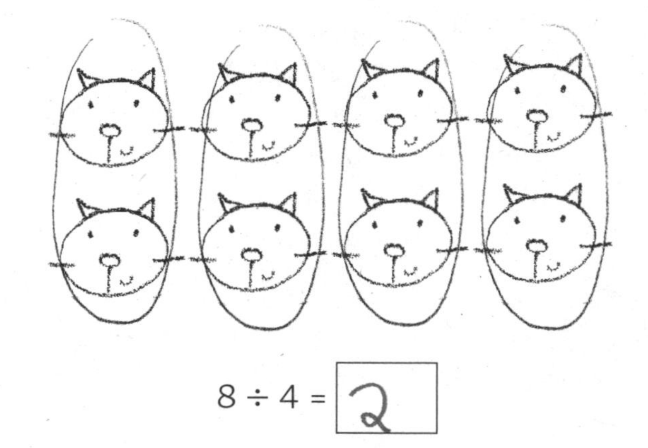

$8 \div 4 =$ 2

c)

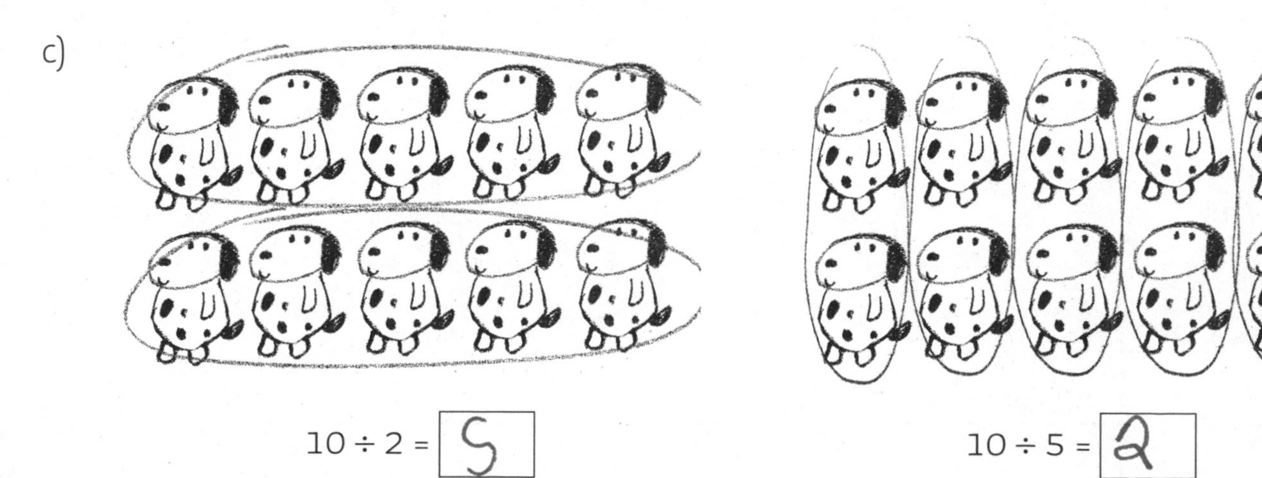

$10 \div 2 =$ 5

$10 \div 5 =$ 2

2 Fais les partages demandés, puis remplis les cases.

a) 2 parts égales

6 ÷ ☐ = ☐

b) 2 parts égales

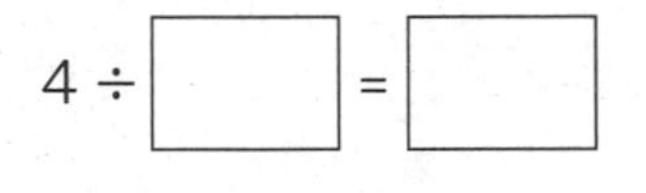

4 ÷ ☐ = ☐

3 Problème

Olga a oublié sa collation. Omar partage avec elle ses 4 biscuits en 2 parts égales. Combien de biscuits chaque enfant aura-t-il ?

Démarche	*Réponse*
	☐

Dizaine

Voir aussi *centaine, décomposer les nombres, unité.*

1 Fais des groupements par dix et remplis les cases.

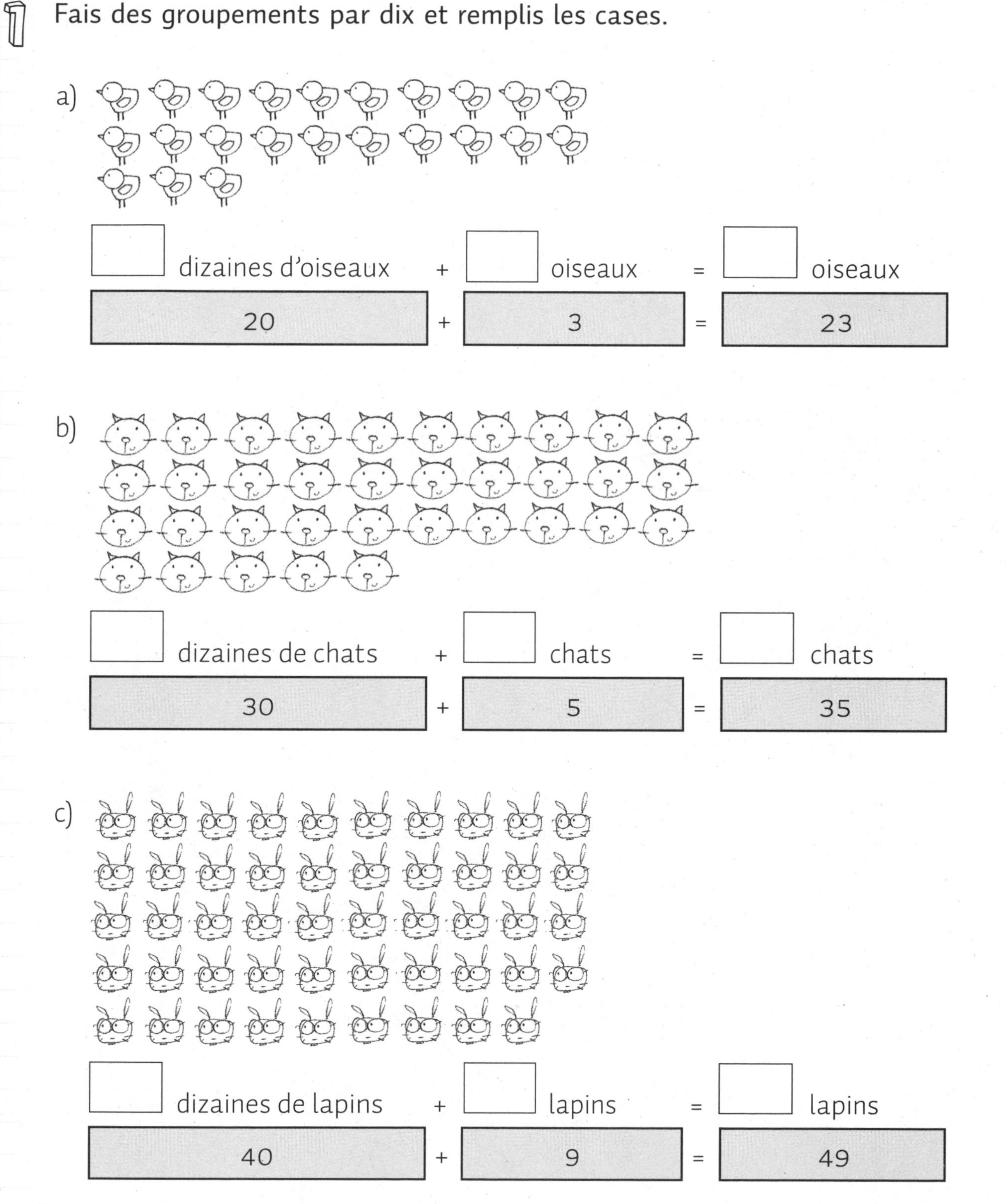

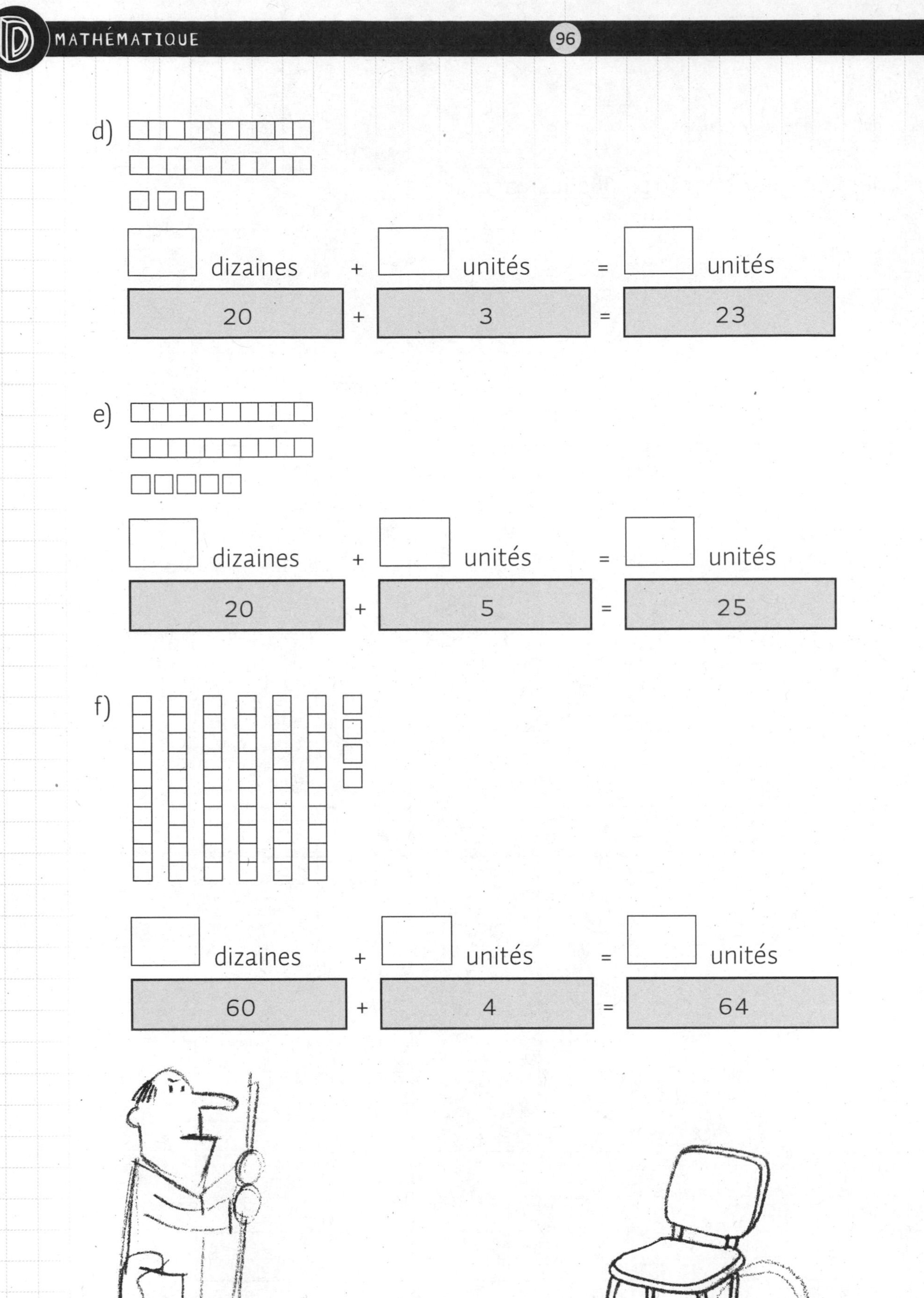

d)

☐ dizaines + ☐ unités = ☐ unités

20	+	3	=	23

e)

☐ dizaines + ☐ unités = ☐ unités

20	+	5	=	25

f)

☐ dizaines + ☐ unités = ☐ unités

60	+	4	=	64

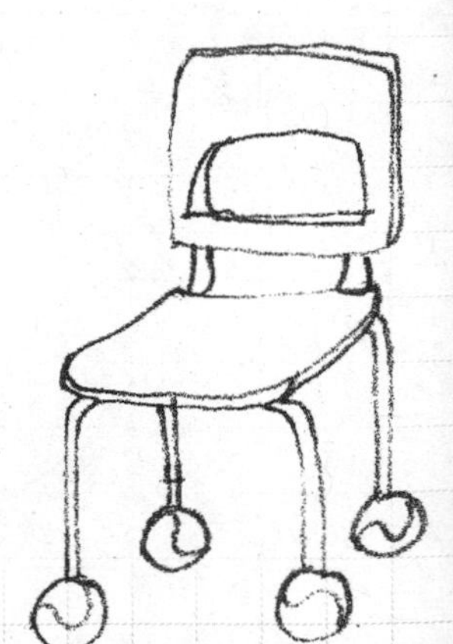

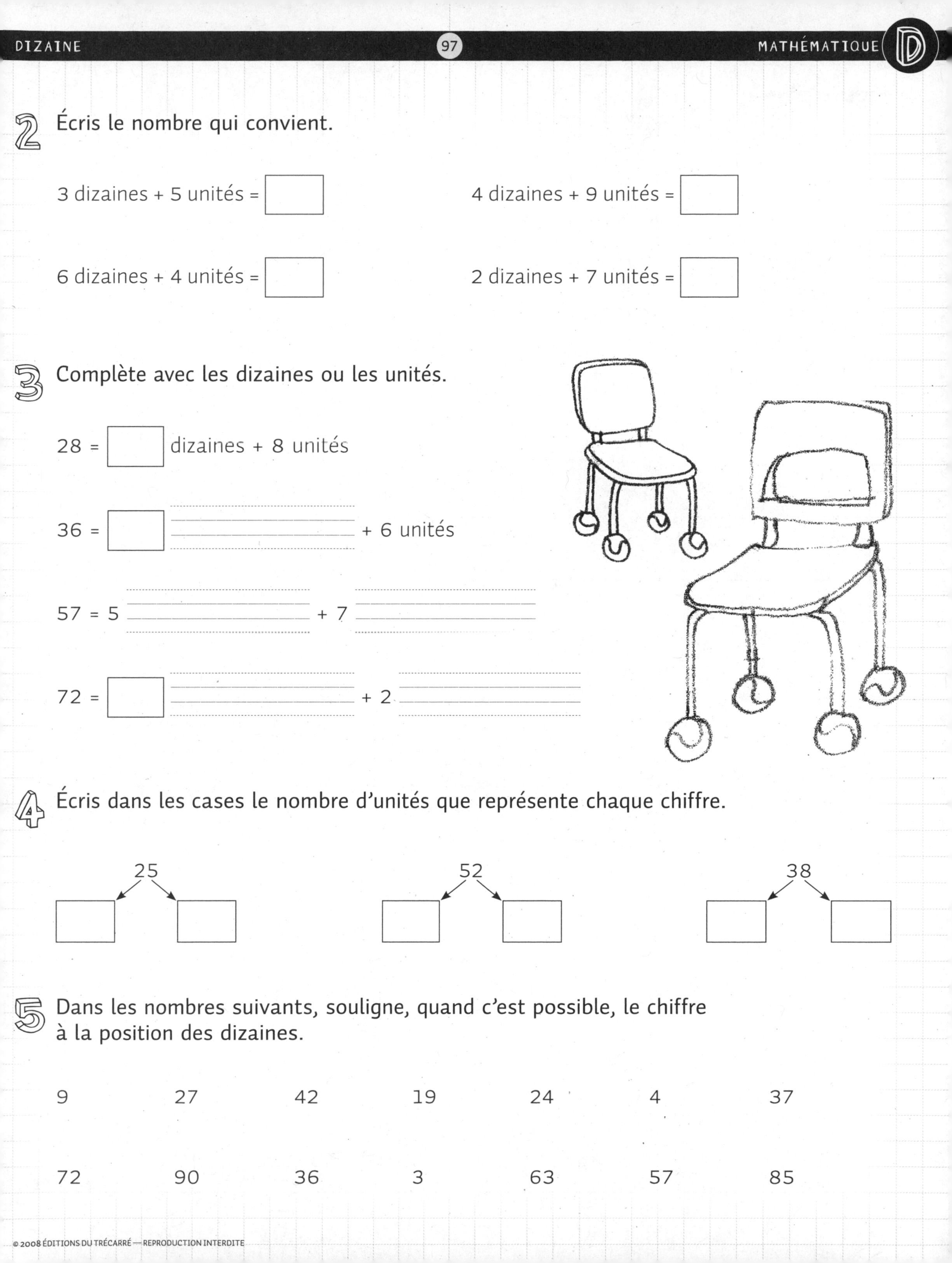

2 Écris le nombre qui convient.

3 dizaines + 5 unités = ☐   4 dizaines + 9 unités = ☐

6 dizaines + 4 unités = ☐   2 dizaines + 7 unités = ☐

3 Complète avec les dizaines ou les unités.

28 = ☐ dizaines + 8 unités

36 = ☐ ______ + 6 unités

57 = 5 ______ + 7 ______

72 = ☐ ______ + 2 ______

4 Écris dans les cases le nombre d'unités que représente chaque chiffre.

25 → ☐ ☐   52 → ☐ ☐   38 → ☐ ☐

5 Dans les nombres suivants, souligne, quand c'est possible, le chiffre à la position des dizaines.

9   27   42   19   24   4   37

72   90   36   3   63   57   85

Figure plane

Voir aussi *carré, cercle, losange, rectangle, triangle.*

 Entoure les figures planes.

carré	cylindre	cercle	rectangle	cube

prisme	carré	prisme	cercle	triangle

pyramide	losange	triangle	cône	rectangle

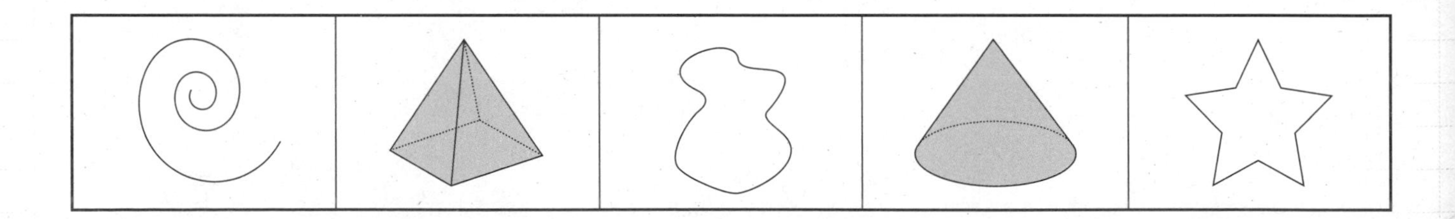

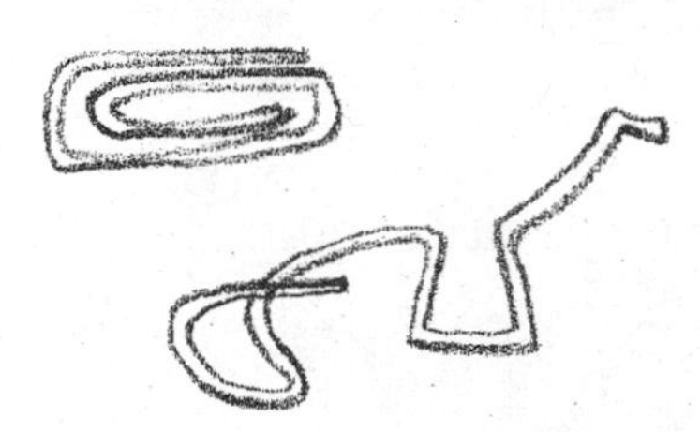

2 Sur le dessin ci-dessous, colorie les carrés en bleu, les rectangles en orange, les triangles en rouge, les losanges en vert et les cercles en brun.

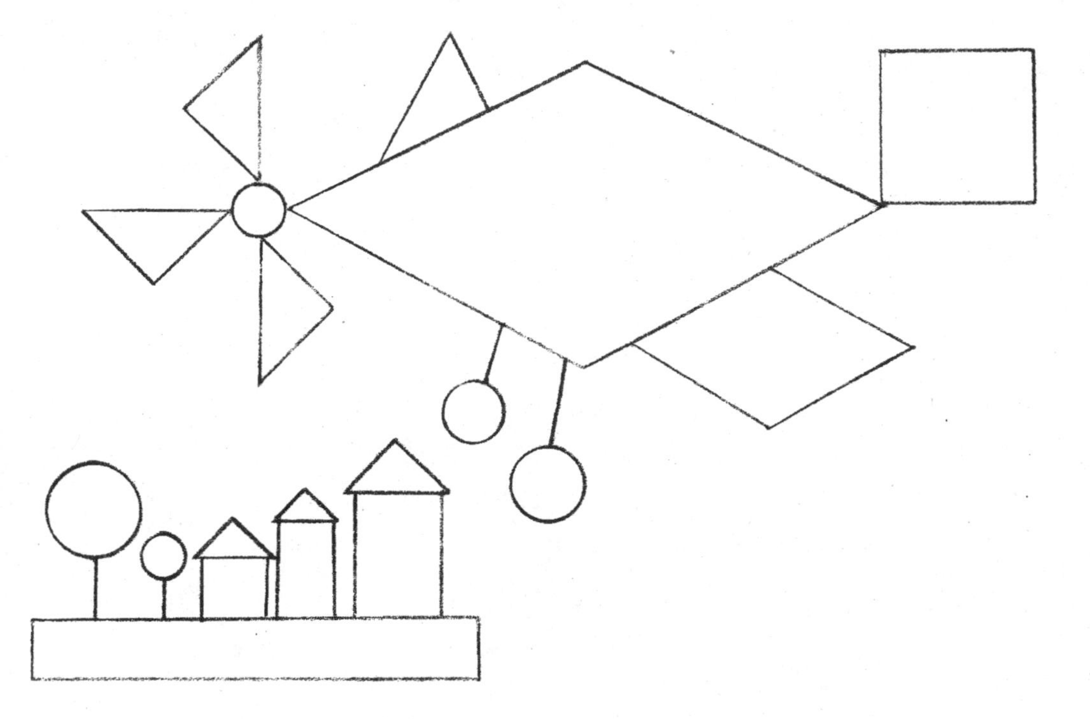

3 Entoure en bleu les figures planes qui ont trois côtés. Entoure en rouge celles qui ont quatre côtés.

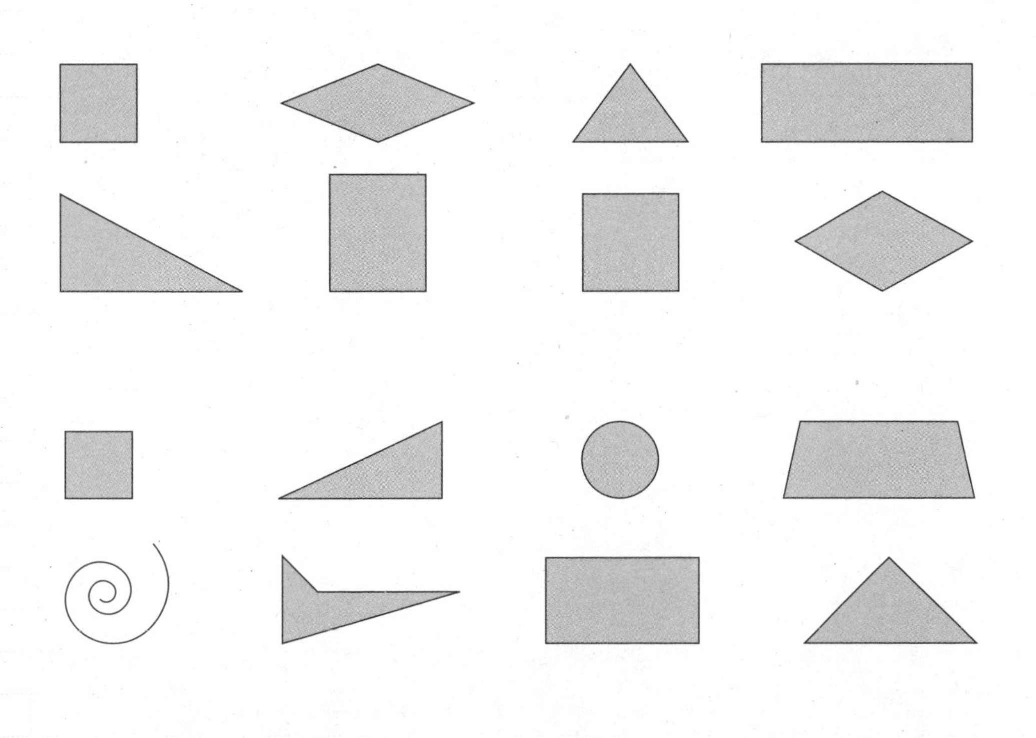

Fraction

Voir aussi *division*.

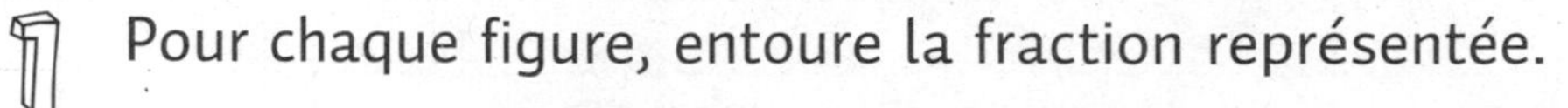

1 Pour chaque figure, entoure la fraction représentée.

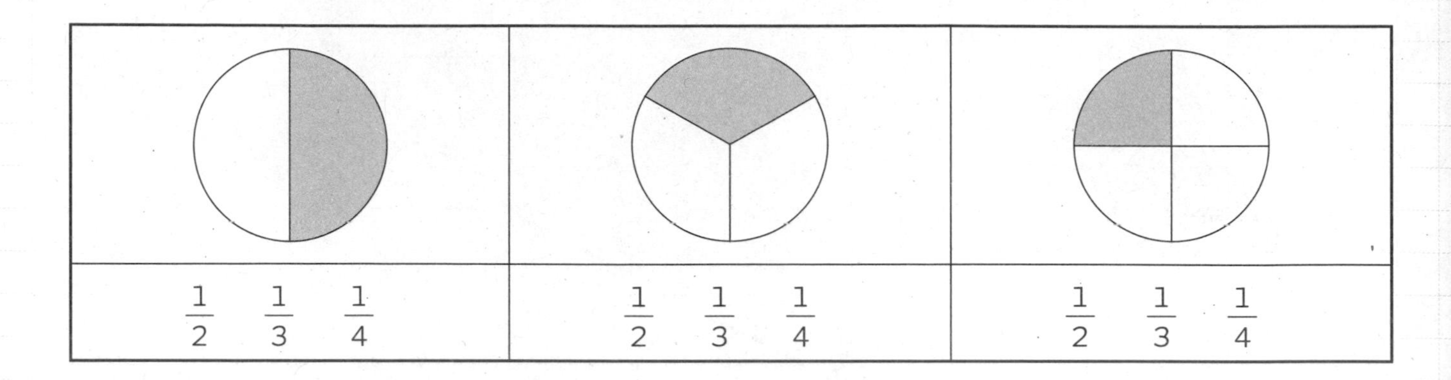

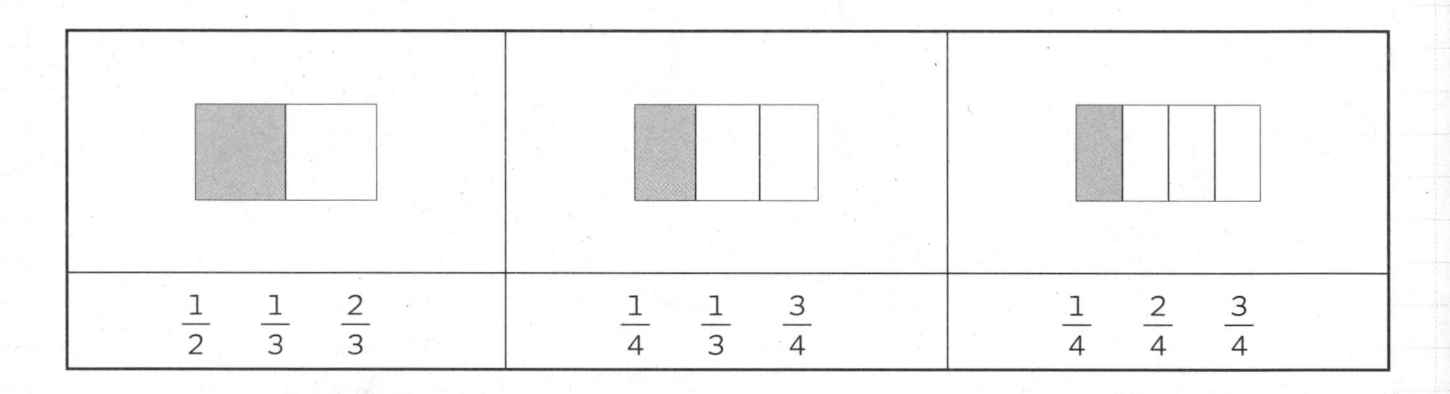

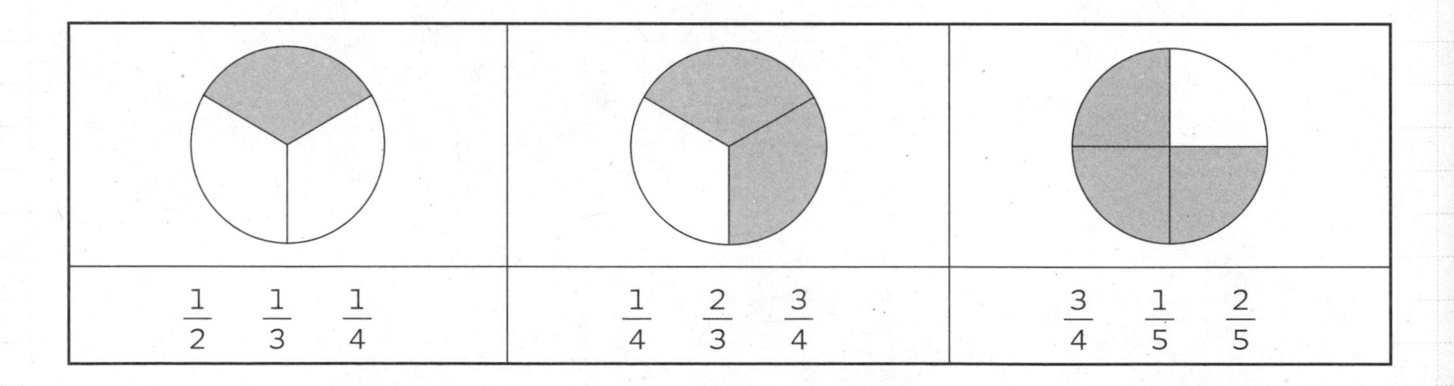

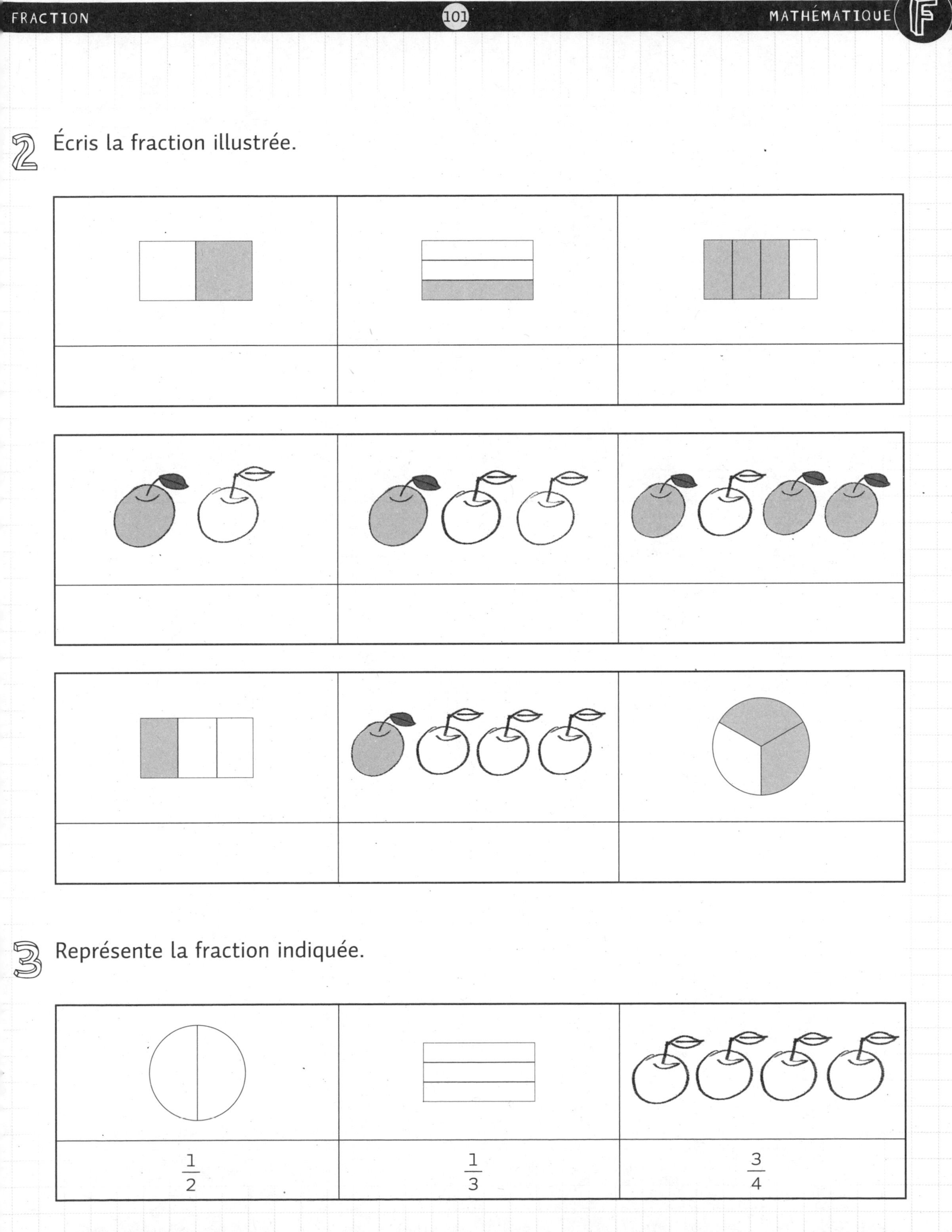

2 Écris la fraction illustrée.

3 Représente la fraction indiquée.

$\frac{1}{2}$	$\frac{1}{3}$	$\frac{3}{4}$

Longueurs

1 Entoure l'unité de mesure la plus pratique pour mesurer, dans la réalité, les objets suivants.

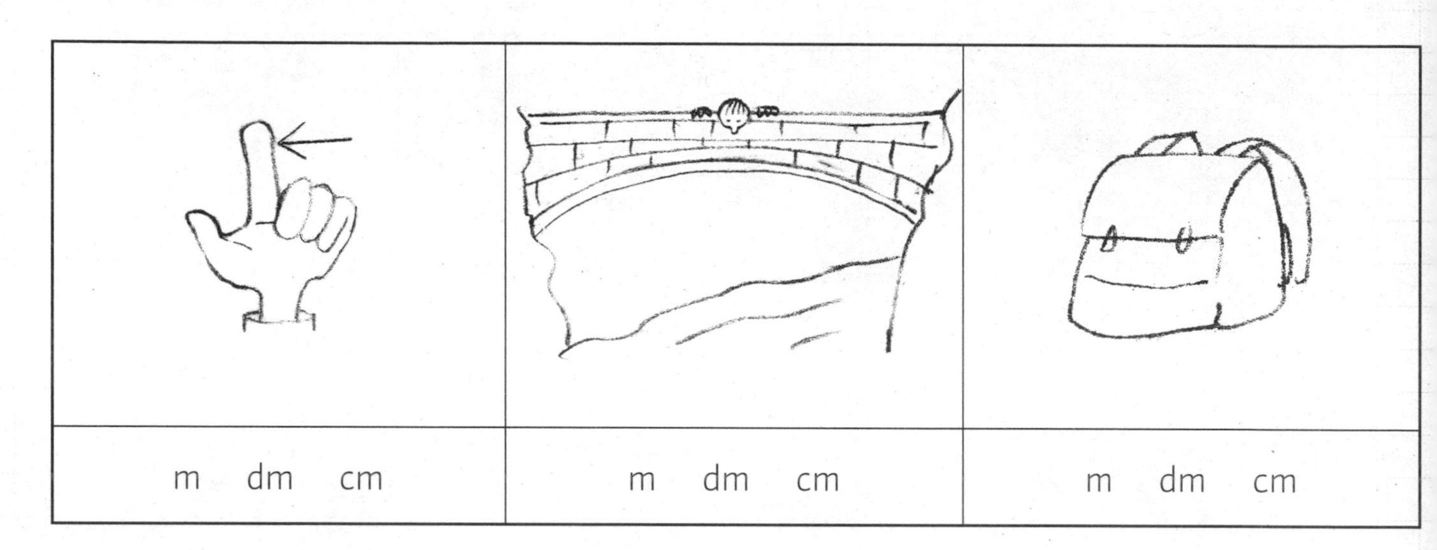

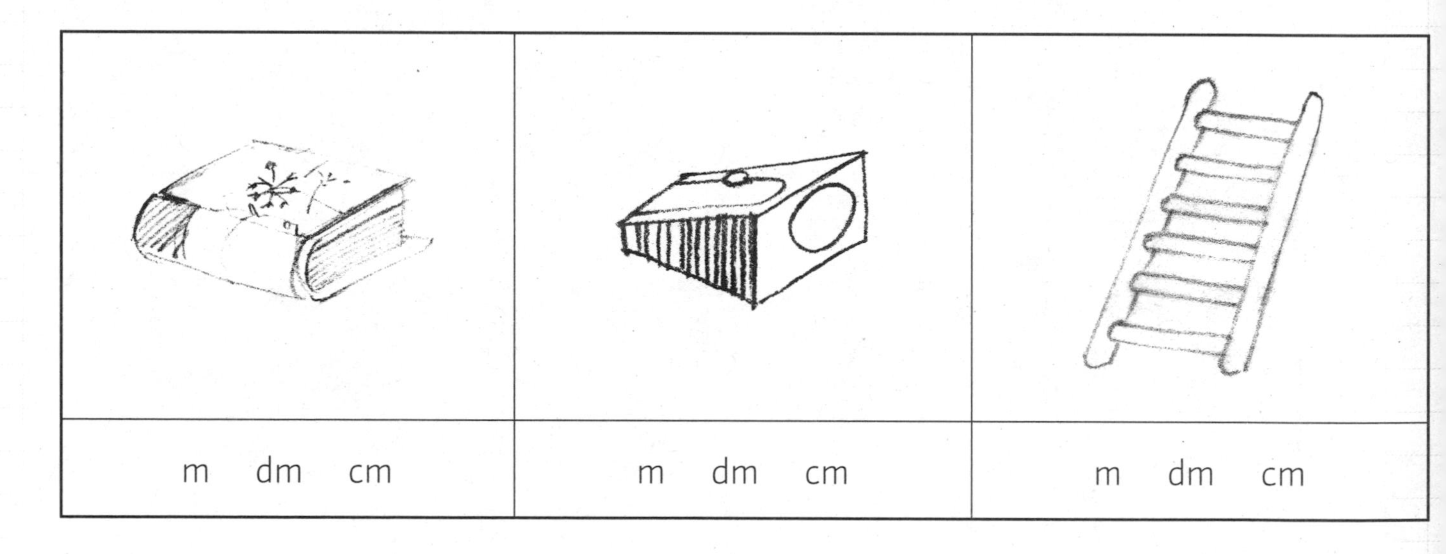

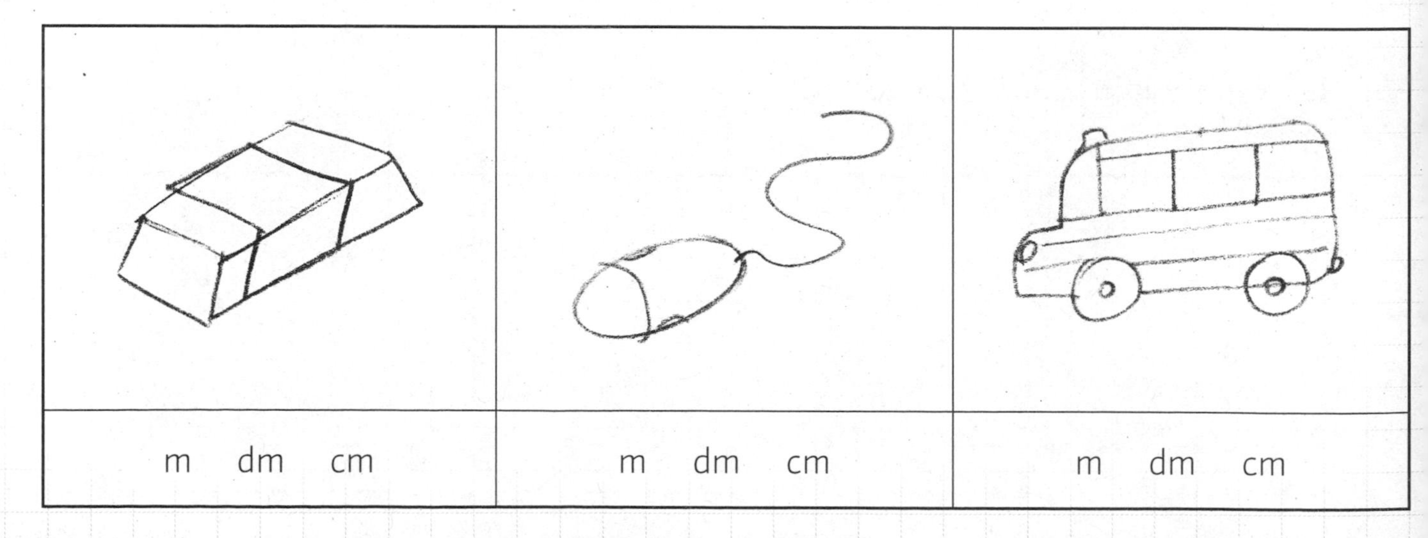

2 Mesure chaque crayon avec une règle et remplis les cases.

☐ cm

☐ cm

☐ cm

3 Écris dans les cases le signe >, < ou =.

1 cm ☐ 1 dm	1 dm ☐ 1 m	1 m ☐ 1 cm
5 dm ☐ 5 cm	5 cm ☐ 3 cm	1 m ☐ 3 dm
3 cm ☐ 3 m	4 cm ☐ 2 m	8 dm ☐ 9 dm
6 dm ☐ 8 cm	1 dm ☐ 10 cm	10 dm ☐ 1 m

Losange

Voir aussi *figure plane*.

1 Combien y a-t-il de losanges dans ce dessin ?

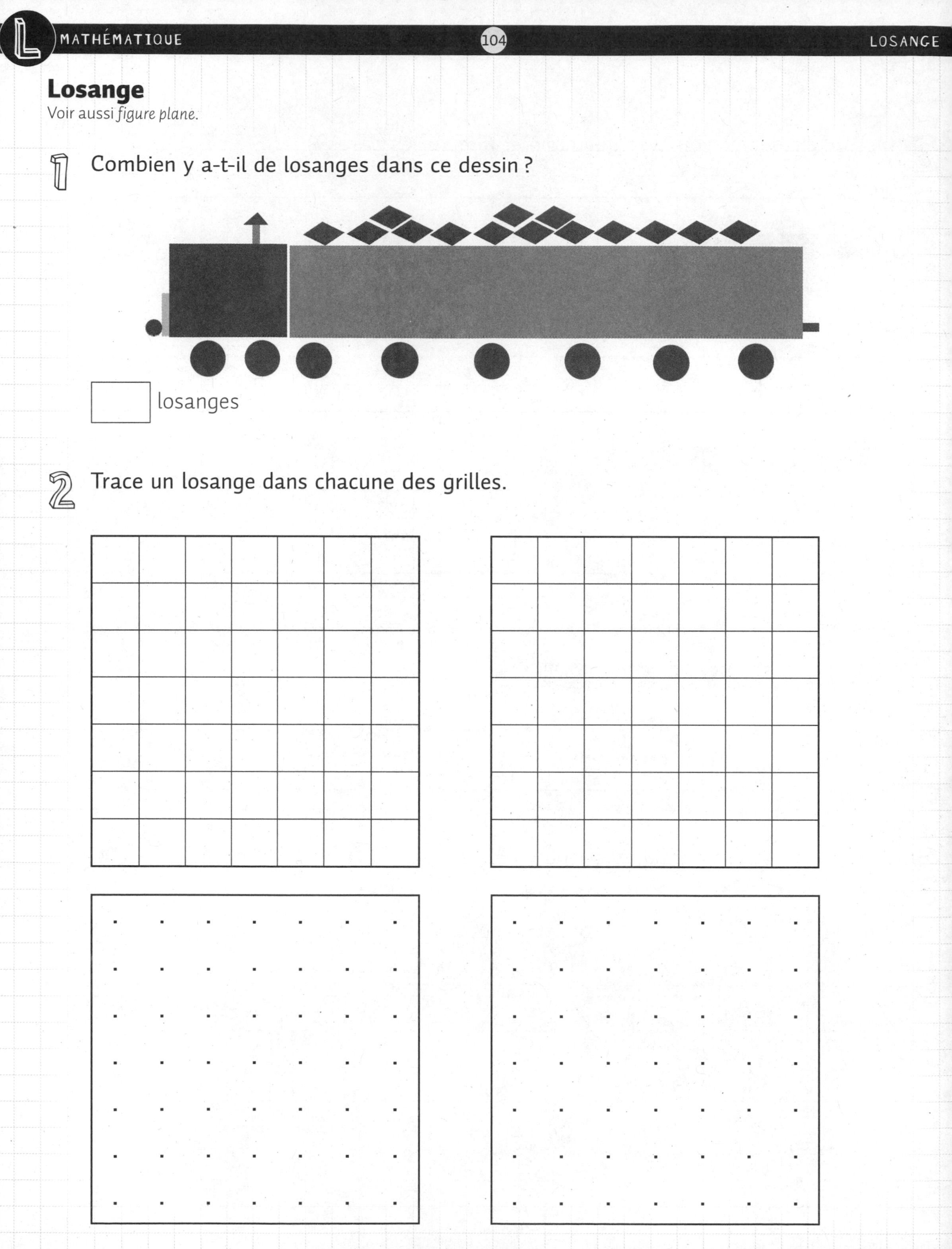

☐ losanges

2 Trace un losange dans chacune des grilles.

Multiplication

Voir aussi *addition*.

1 Écris une addition et une multiplication pour chaque illustration.

a)

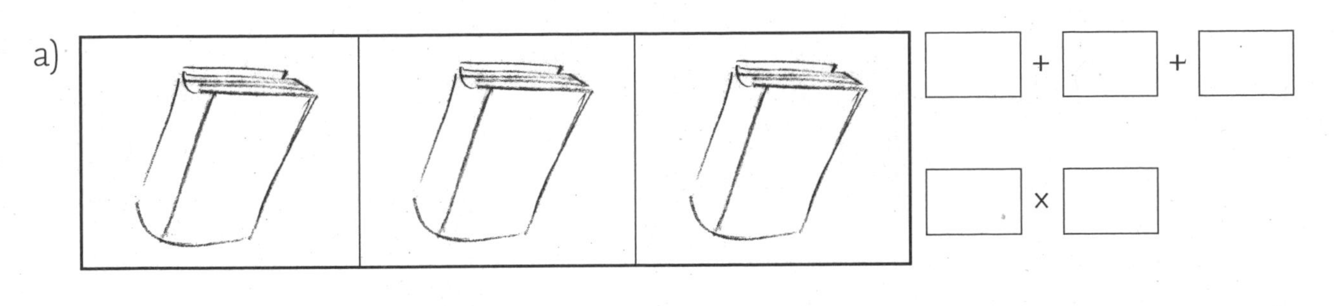

___ + ___ + ___

___ × ___

b)

___ + ___ + ___

___ × ___

c)

___ + ___ + ___ + ___

___ × ___

d)

___ + ___ + ___

___ × ___

e)

___ + ___ + ___ + ___

___ × ___

2 Écris la multiplication qui correspond à l'addition.

1 + 1

1 + 1 + 1

1 + 1 + 1 + 1

2 + 2

2 + 2 + 2

2 + 2 + 2 + 2

3 + 3

3 + 3 + 3

3 + 3 + 3 + 3

4 + 4

Nombres impairs

Voir aussi *nombres pairs*.

1 Anne-Sophie va à l'école en suivant les nombres impairs.
Trace en bleu le chemin qu'elle prend.

2	47	19	1	7	26	36	44	50	70
8	45	20	4	11	30	40	60	62	80
9	39	24	6	17	27	5	43	15	41
13	12	28	10	18	34	42	46	64	3
29	16	32	14	22	6	38	48	68	**49**

2 Le cousin d'Anne-Sophie va à l'école en suivant les nombres impairs.
Trace en rouge le chemin qu'il prend.

2	20	30	32	10	26	35	31	23	**37**
8	24	20	44	17	27	51	60	62	80
9	28	24	51	55	14	6	43	15	41
16	12	33	37	18	34	42	46	64	3
21	35	25	14	22	6	38	48	68	49

Nombres pairs

Voir aussi *nombres impairs*.

1 À la fin de la classe, Anne-Sophie revient de l'école à la maison en suivant les nombres pairs. Trace en vert le chemin qu'elle prend.

3	49	27	61	88	64	76	100	19	25
17	53	33	45	4	9	63	6	23	13
65	11	39	35	52	41	39	22	43	47
89	29	21	7	34	15	5	50	31	81
66	14	48	38	8	67	79	26	54	**2**

2 À la fin de la classe, le cousin d'Anne-Sophie revient de l'école à la maison en suivant les nombres pairs. Trace en jaune le chemin qu'il prend.

31	19	79	67	9	81	3	87	2	**10**
25	23	5	15	23	47	71	34	16	89
13	43	39	26	24	14	98	12	97	65
47	8	38	62	43	13	7	29	101	17
76	4	63	41	31	25	83	95	93	3

Ordre croissant

Voir aussi *ordre décroissant.*

1 Écris les nombres suivants dans les arbres selon l'ordre croissant.

a) 8, 7, 4, 2, 1, 3, 6, 5

b) 32, 11, 18, 24, 45, 7, 17, 51

c) 55, 44, 33, 21, 10, 22, 32, 45

d) 5, 82, 49, 16, 71, 27, 38, 60

Ordre décroissant

Voir aussi *ordre croissant*.

1 Écris les nombres suivants dans les arbres selon l'ordre décroissant.

a) 11, 10, 7, 5, 4, 6, 9, 8

b) 29, 8, 15, 21, 42, 4, 13, 48

c) 65, 54, 43, 31, 20, 32, 42, 55

d) 10, 87, 54, 21, 76, 32, 43, 65

Prisme

Voir aussi *solide*.

1 Entoure les objets qui ressemblent à un prisme.

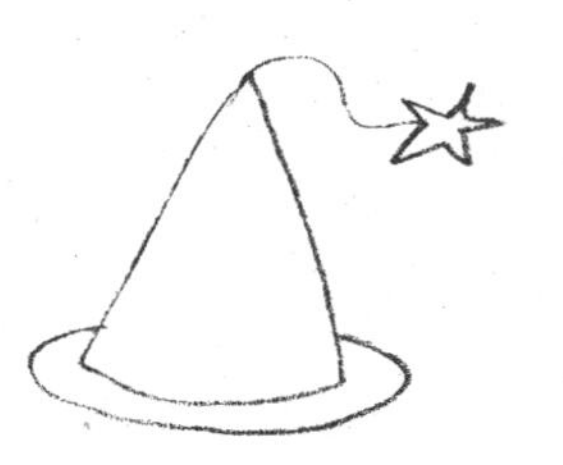
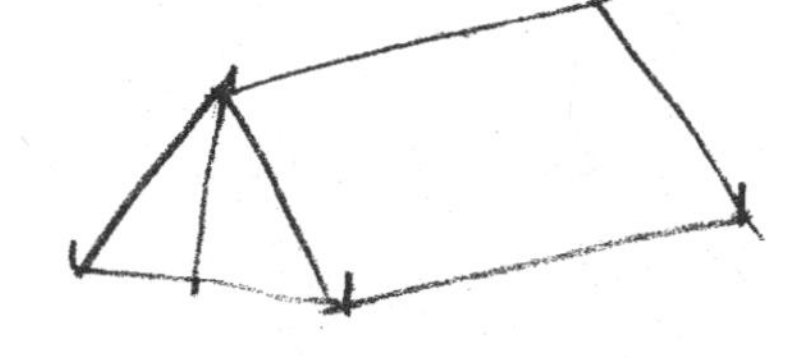

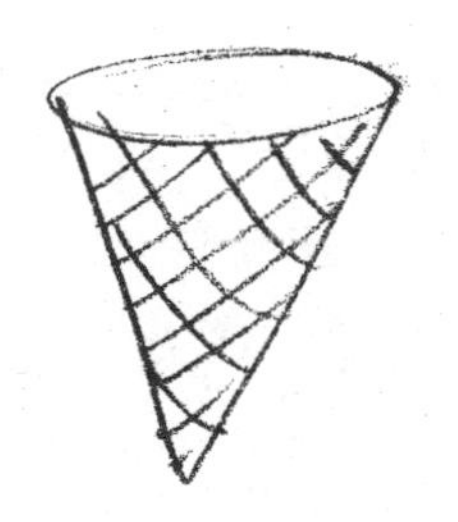

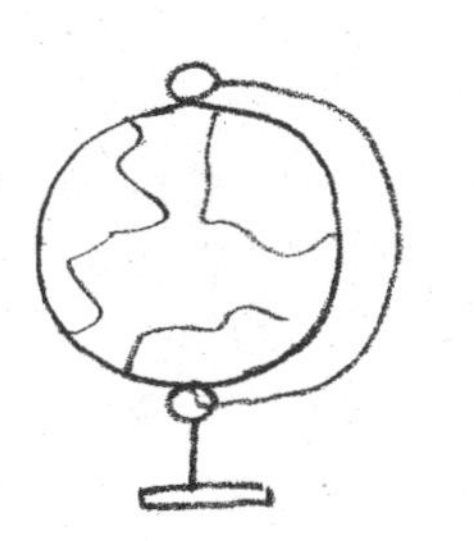

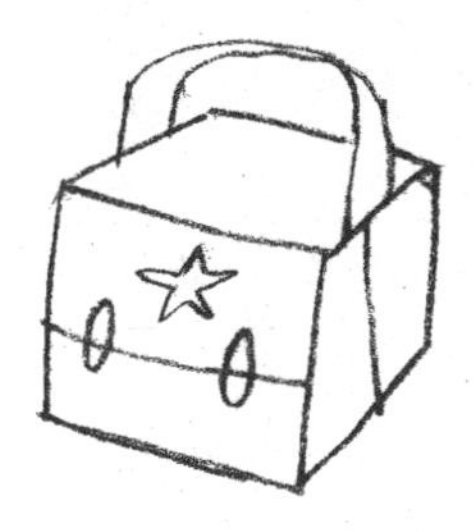

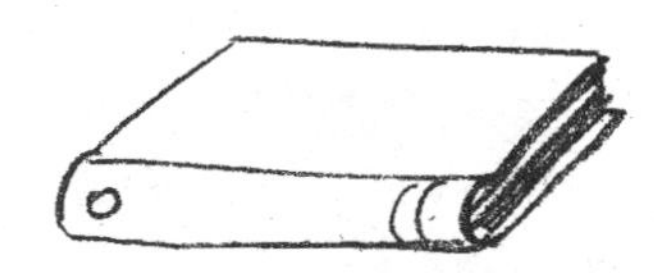

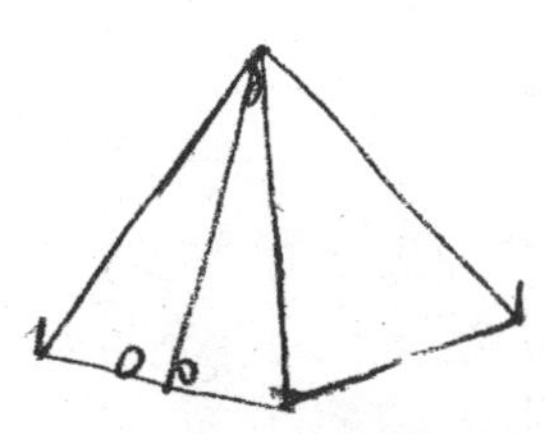
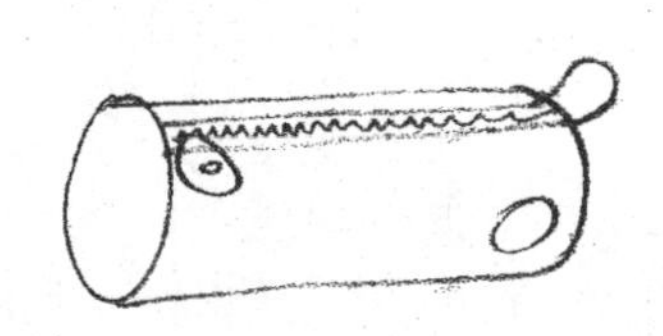

2 Entoure les figures qui permettent de construire chaque prisme.

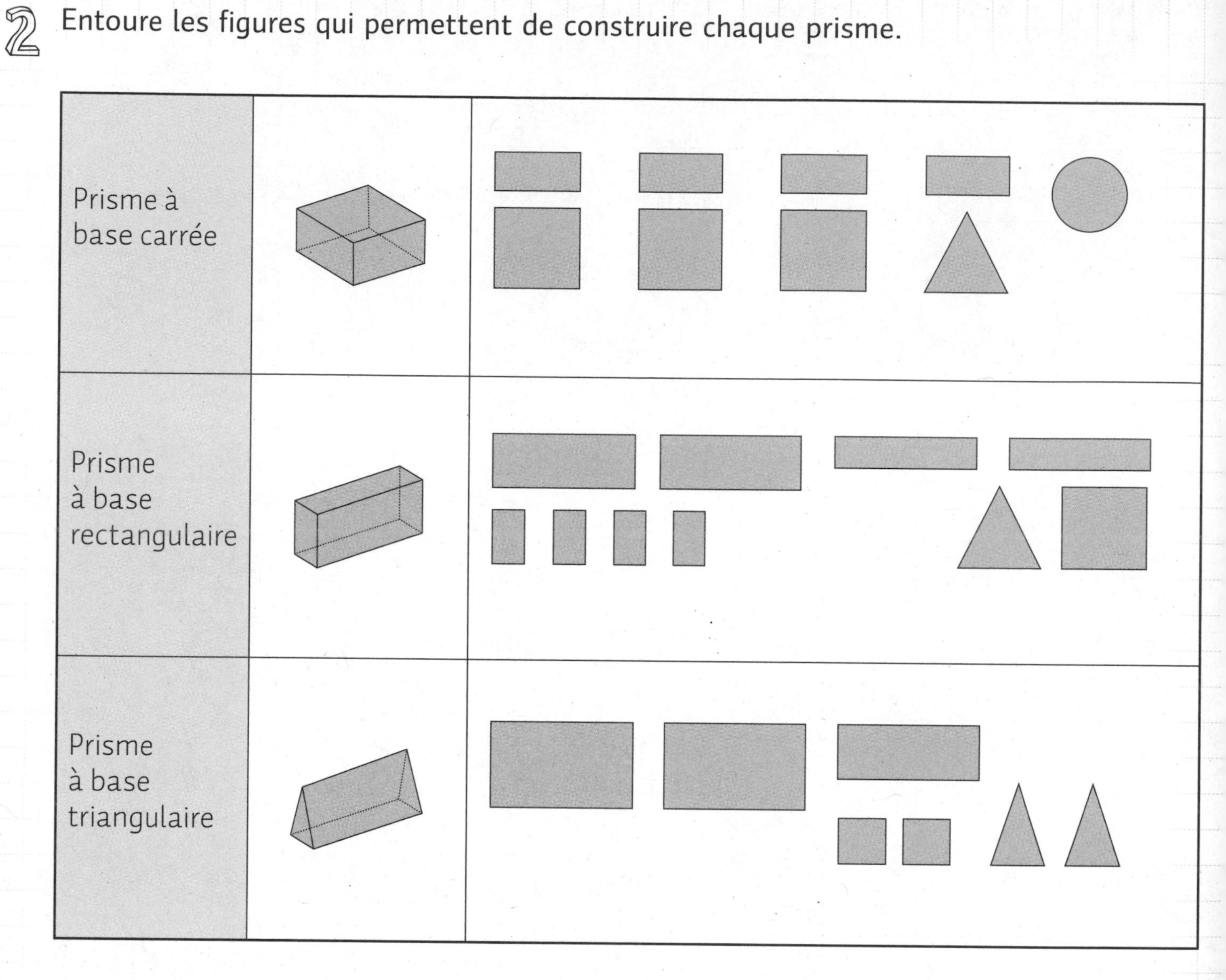

Prisme à base carrée		
Prisme à base rectangulaire		
Prisme à base triangulaire		

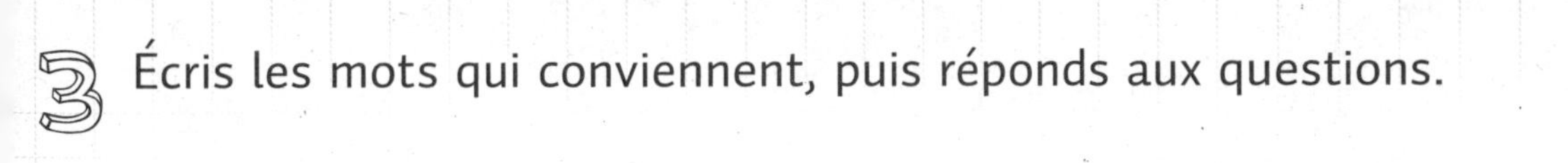

3 Écris les mots qui conviennent, puis réponds aux questions.

a) Combien de faces possède un prisme à base carrée ?

b) Combien de faces possède un prisme à base rectangulaire ?

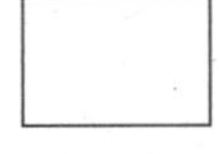

c) Combien de faces possède un prisme à base triangulaire ?

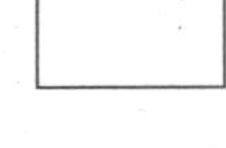

d) Combien de sommets possède un prisme à base carrée ?

e) Combien de sommets possède un prisme à base rectangulaire ?

f) Combien de sommets possède un prisme à base triangulaire ?

g) Combien d'arêtes possède un prisme à base carrée ?

h) Combien d'arêtes possède un prisme à base rectangulaire ?

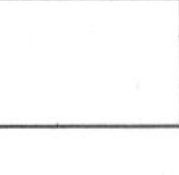

i) Combien d'arêtes possède un prisme à base triangulaire ?

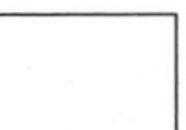

Probabilité

Voir aussi *statistique*.

1 Les événements suivants sont-ils certains, possibles ou impossibles ? Coche la case qui convient.

Événements	Certain	Possible	Impossible
Nous sommes au mois de mai, le mois prochain, nous serons au mois de juillet.			
Il pleut depuis deux jours, demain, il fera beau.			
Mon père mesure 5 mètres.			
Nous sommes jeudi, après-demain, nous serons samedi.			
Mon nom est Octave. Il contient 4 voyelles.			
Lulu lance une balle en l'air, elle va retomber.			
Lulu lance une balle en l'air, elle va retomber sur la Lune.			
Lulu lance une balle en l'air, elle va casser une vitre.			

2 Olga pleure toute seule dans son coin. Lulu a décidé de lui offrir un biscuit et un suçon. Représente sur le diagramme et sur le tableau les six façons différentes de combiner les biscuits et les suçons.

Diagramme

Tableau

Pyramide

Voir aussi *solide*.

1 Entoure les objets qui ressemblent à une pyramide.

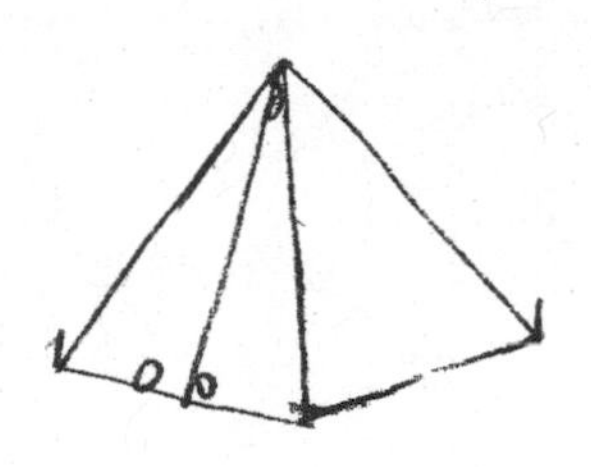

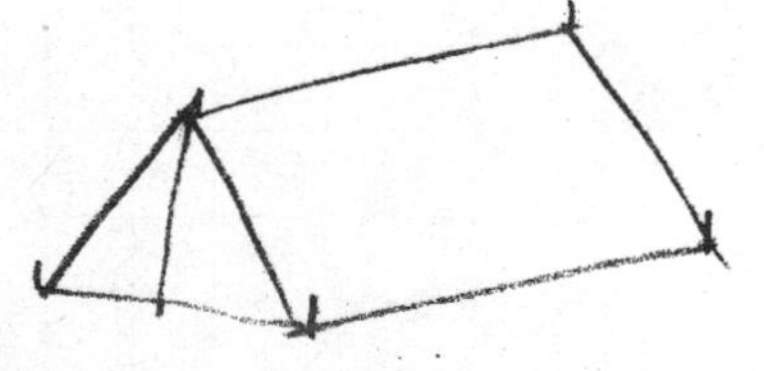
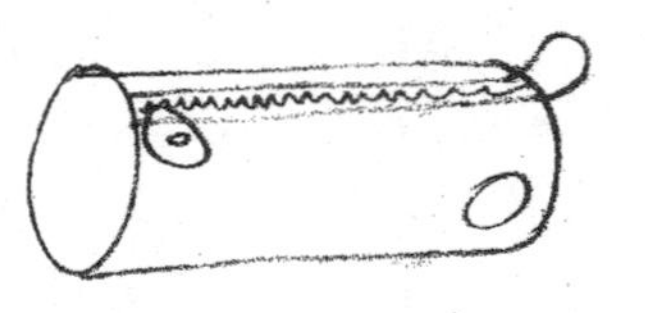

Entoure les figures planes qui permettent de construire chaque pyramide.

Pyramide à base carrée		
Pyramide à base triangulaire		
Pyramide à base carrée		

3 Écris les mots qui conviennent, puis réponds aux questions.

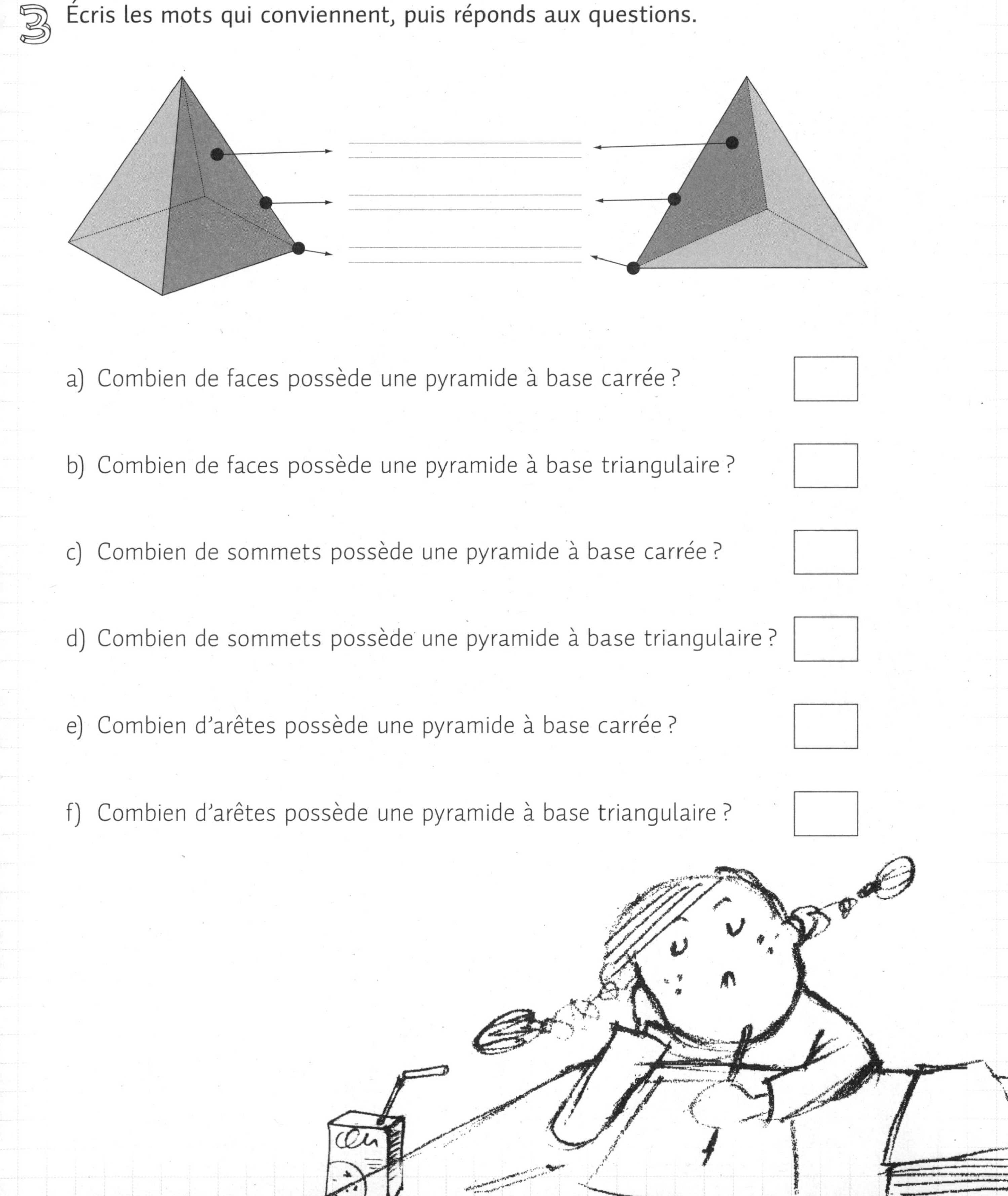

a) Combien de faces possède une pyramide à base carrée ?

b) Combien de faces possède une pyramide à base triangulaire ?

c) Combien de sommets possède une pyramide à base carrée ?

d) Combien de sommets possède une pyramide à base triangulaire ?

e) Combien d'arêtes possède une pyramide à base carrée ?

f) Combien d'arêtes possède une pyramide à base triangulaire ?

Rectangle

Voir aussi *figure plane.*

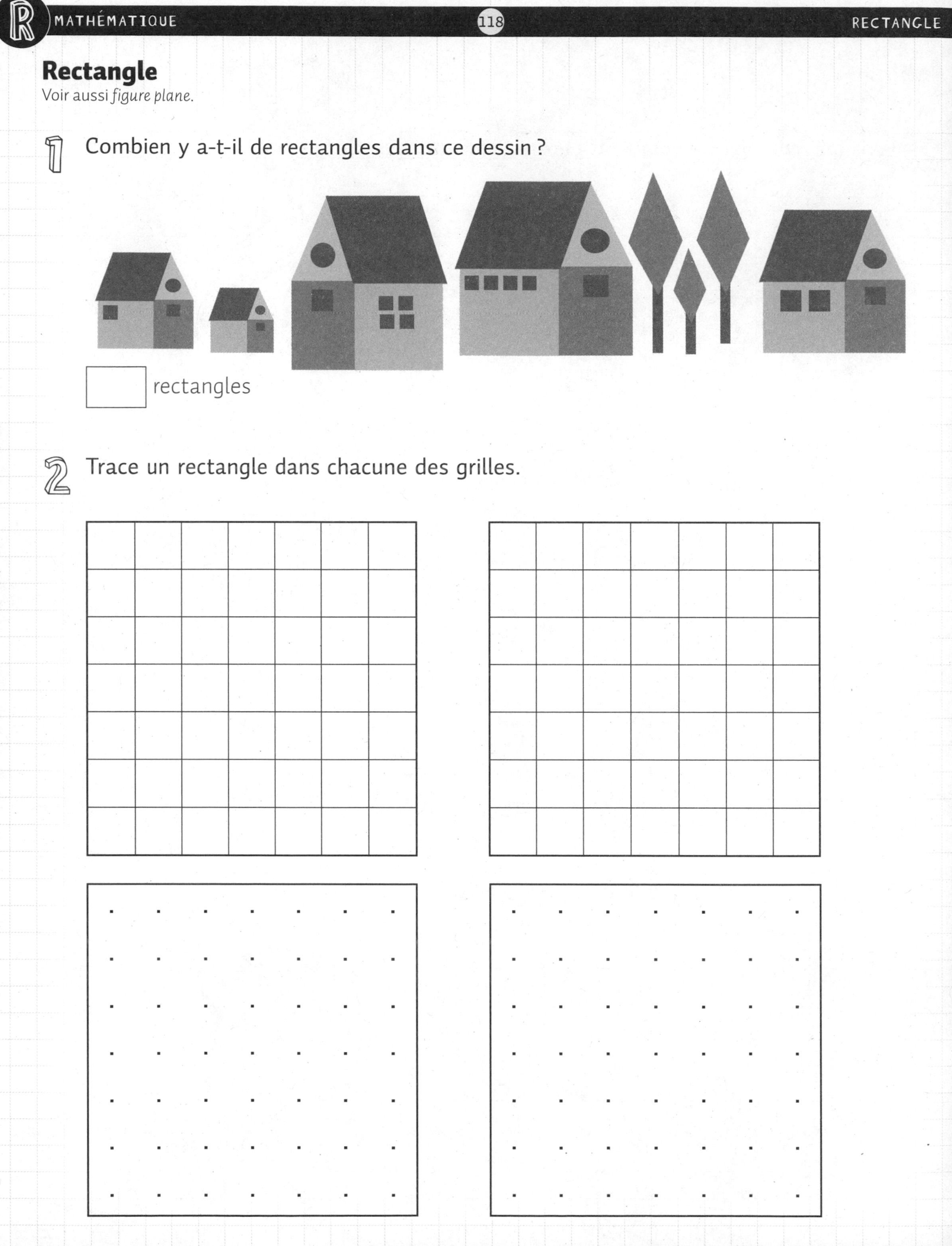

1 Combien y a-t-il de rectangles dans ce dessin ?

☐ rectangles

2 Trace un rectangle dans chacune des grilles.

Solide

Voir aussi *cône, cube, cylindre, prisme, pyramide, sphère.*

1 Relie chaque objet au solide qui lui ressemble. Puis, écris le nom de chaque solide.

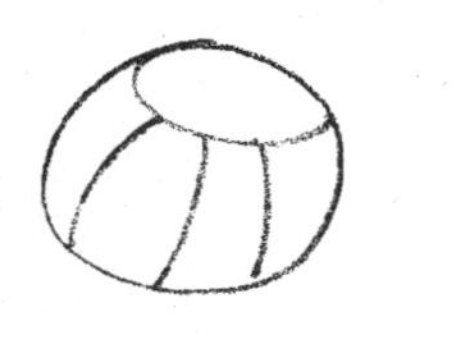

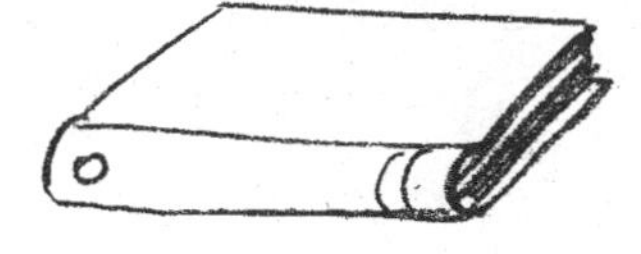

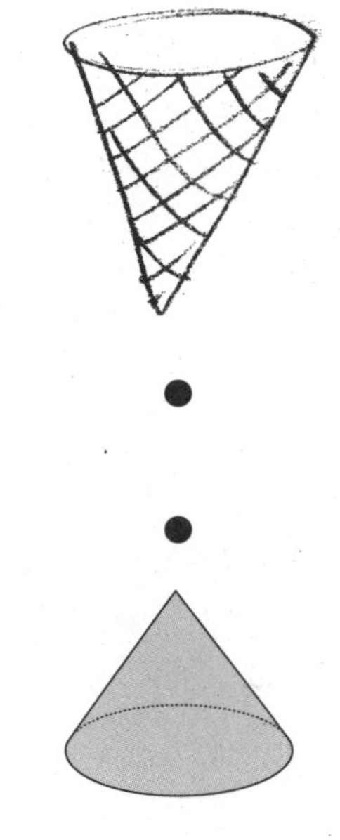

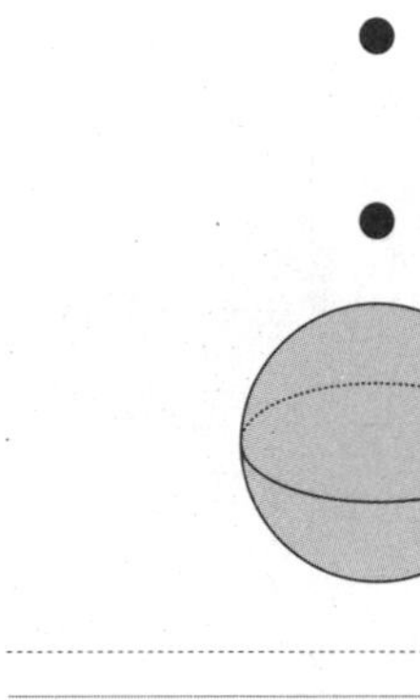

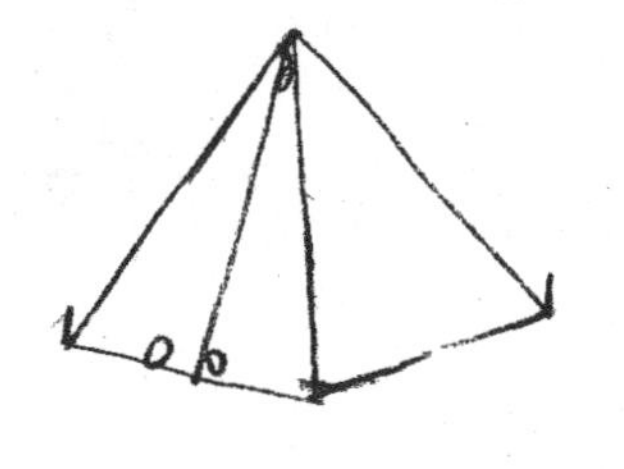

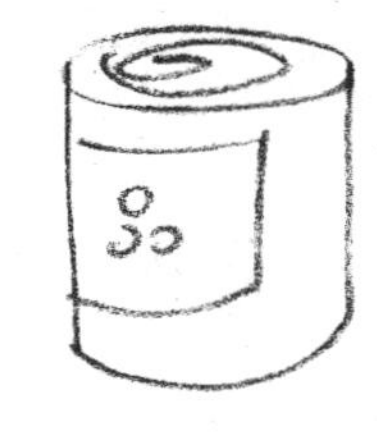

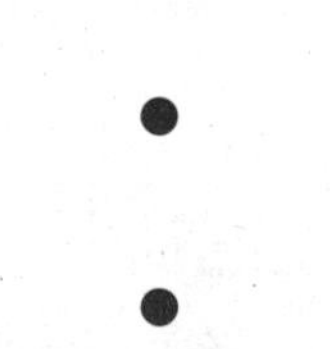

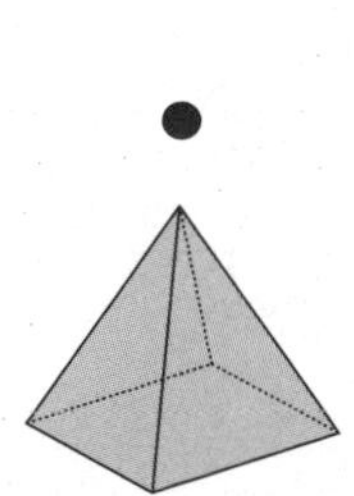

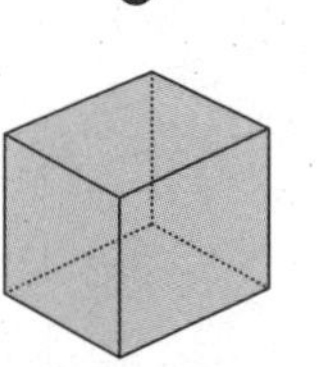

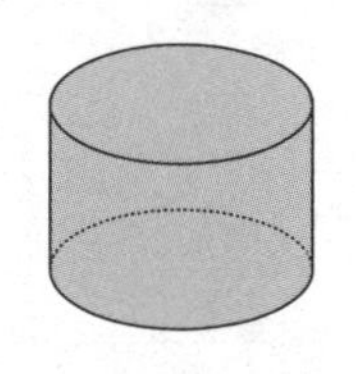

2 Écris le numéro de chaque solide dans la case qui convient.

a)

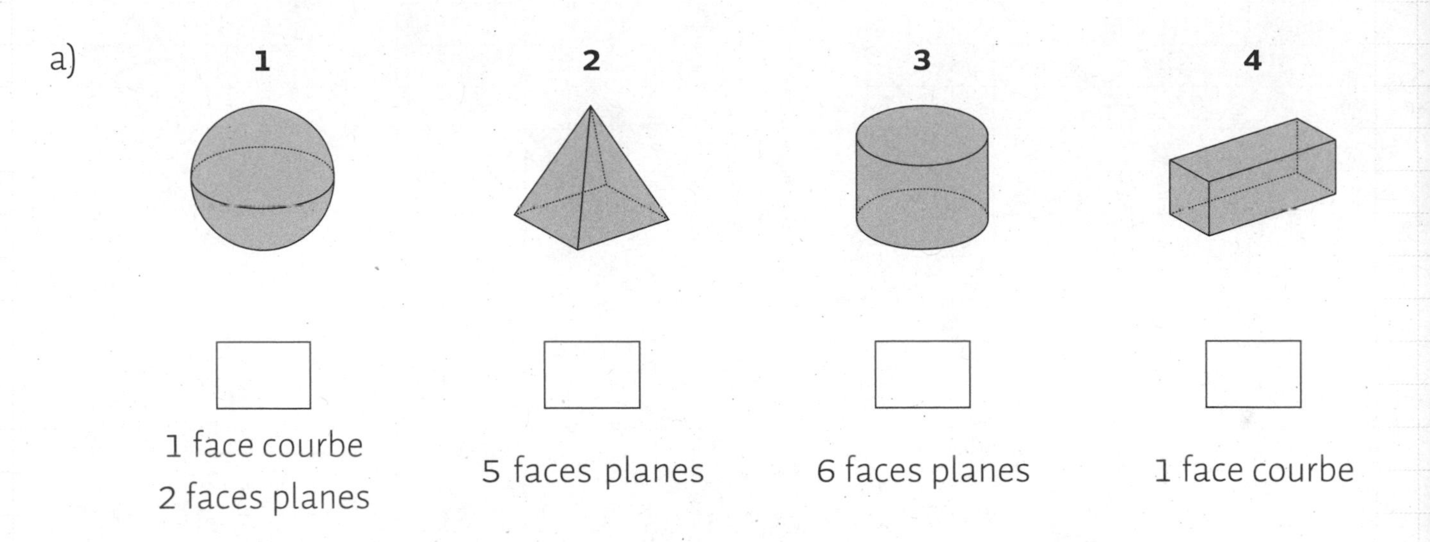

1 face courbe 2 faces planes	5 faces planes	6 faces planes	1 face courbe

b)

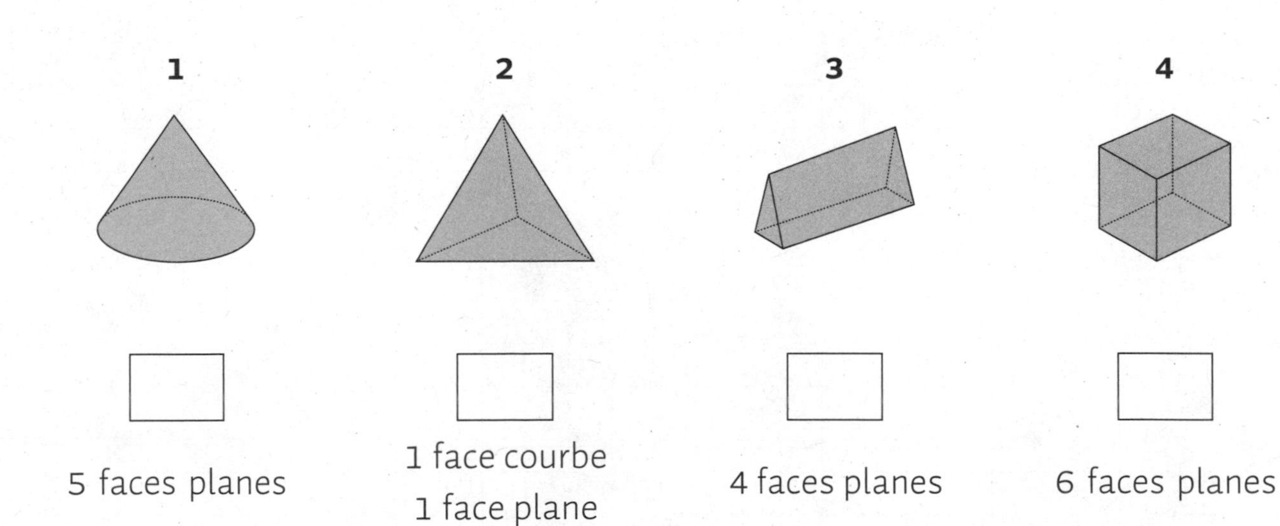

5 faces planes	1 face courbe 1 face plane	4 faces planes	6 faces planes

Soustraction

Voir aussi *addition*.

1 Barre d'une croix le nombre de lapins qui convient, puis écris le résultat dans la case.

a)

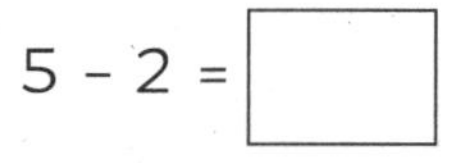

5 - 2 = ☐

b)

8 - 4 = ☐

c)

9 - 6 = ☐

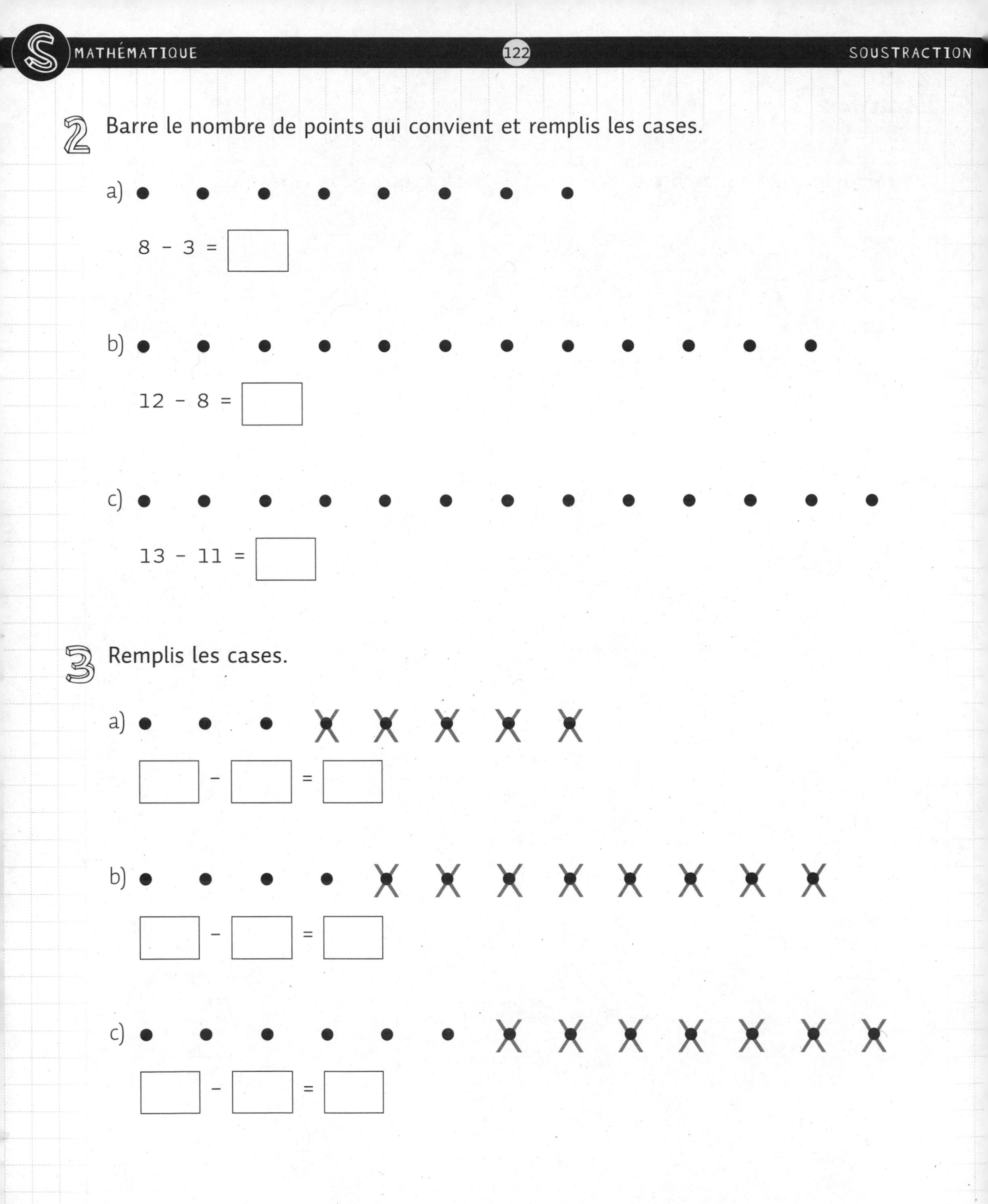

2 Barre le nombre de points qui convient et remplis les cases.

a) ● ● ● ● ● ● ● ●

8 - 3 = ☐

b) ● ● ● ● ● ● ● ● ● ● ● ●

12 - 8 = ☐

c) ● ● ● ● ● ● ● ● ● ● ● ● ●

13 - 11 = ☐

3 Remplis les cases.

a) ● ● ● ⨯ ⨯ ⨯ ⨯ ⨯

☐ – ☐ = ☐

b) ● ● ● ● ⨯ ⨯ ⨯ ⨯ ⨯ ⨯ ⨯ ⨯

☐ – ☐ = ☐

c) ● ● ● ● ● ● ⨯ ⨯ ⨯ ⨯ ⨯ ⨯ ⨯

☐ – ☐ = ☐

4 Trouve le terme manquant.

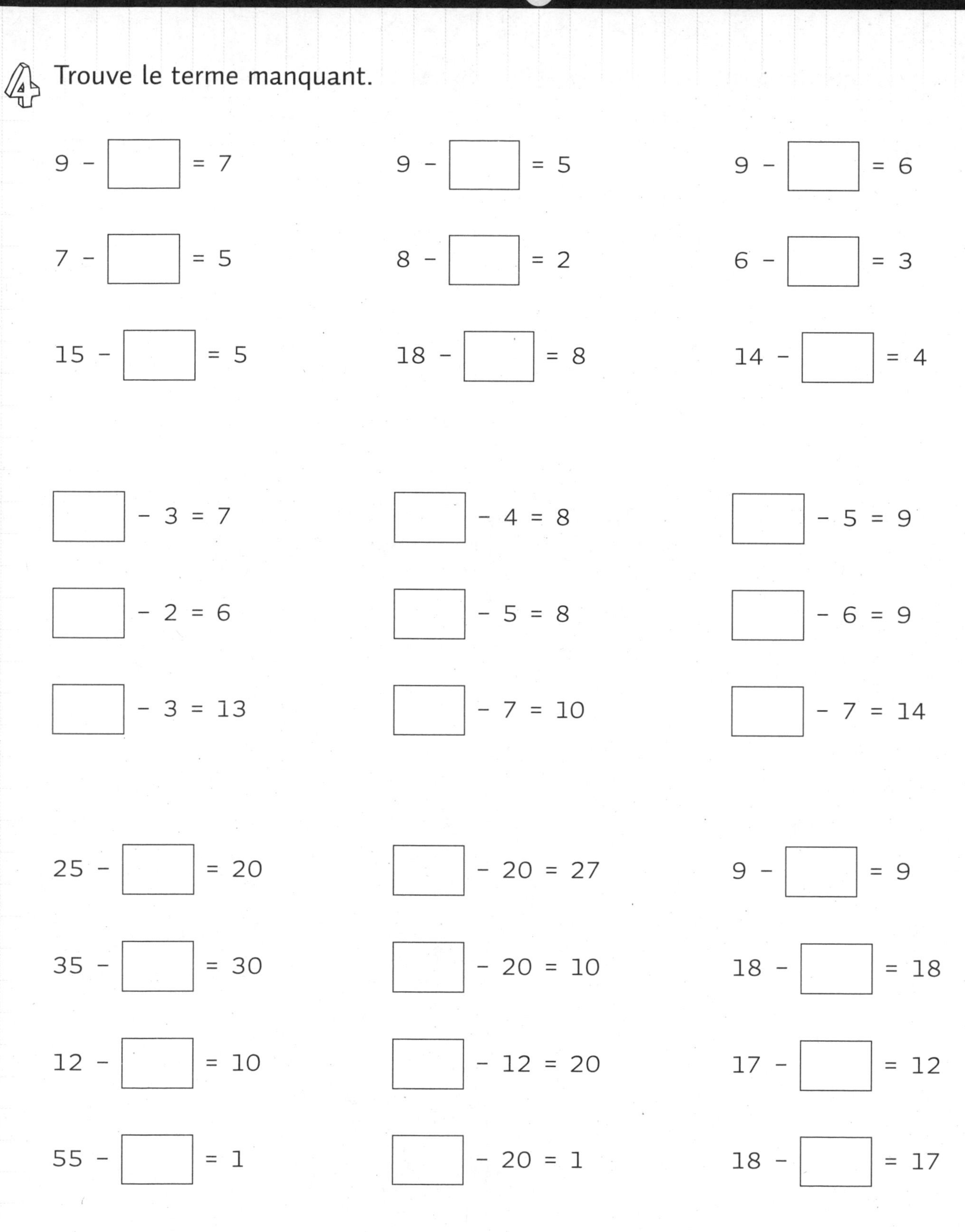

$9 - \square = 7$ $9 - \square = 5$ $9 - \square = 6$

$7 - \square = 5$ $8 - \square = 2$ $6 - \square = 3$

$15 - \square = 5$ $18 - \square = 8$ $14 - \square = 4$

$\square - 3 = 7$ $\square - 4 = 8$ $\square - 5 = 9$

$\square - 2 = 6$ $\square - 5 = 8$ $\square - 6 = 9$

$\square - 3 = 13$ $\square - 7 = 10$ $\square - 7 = 14$

$25 - \square = 20$ $\square - 20 = 27$ $9 - \square = 9$

$35 - \square = 30$ $\square - 20 = 10$ $18 - \square = 18$

$12 - \square = 10$ $\square - 12 = 20$ $17 - \square = 12$

$55 - \square = 1$ $\square - 20 = 1$ $18 - \square = 17$

5 Effectue les soustractions. Utilise la méthode de ton choix.

15 - 12	26 - 13

34 - 14	22 - 22

27 - 15	35 - 23

58 - 32
44 - 32
65 - 23
55 - 34
53 - 42
79 - 28

Problèmes

a) Aujourd'hui, en allant à l'école, Lancelot a sauté dans 10 flaques d'eau. En revenant de l'école, il a sauté dans 6 flaques. Dans combien de flaques d'eau a-t-il sauté en moins en revenant de l'école ?

Démarche	Réponse

b) Amédée a fait 16 fautes dans son devoir. Joséphine a fait 8 fautes de moins qu'Amédée. Combien de fautes Joséphine a-t-elle faites ?

Démarche	Réponse

c) Ursule avait 6 animaux de compagnie. Elle a donné 3 tortues à Lulu. Une souris s'est sauvée. Combien d'animaux lui reste-t-il ?

Démarche	Réponse

Sphère

Voir aussi *solide*.

1 Entoure les objets qui ressemblent à une sphère.

Statistique

Voir aussi *probabilité*.

1 Pour venir à l'école, les vingt enfants de la classe de Mélodie utilisent quatre différents moyens de transport. Observe le tableau, puis, à la page suivante, complète le diagramme à bandes et réponds aux questions.

Lulu			X	
Gonzales		X		
Anne-Sophie		X		
Charles-Antoine				X
Olga	X			
William	X			
Adèle	X			
Jacob	X			
Karim			X	
Louis		X		
Héloïse	X			
Octave			X	
Ursule			X	
Napoléon			X	
Joséphine	X			
Miléna		X		
Lison	X			
Amédée		X		
Lancelot		X		
Clovis			X	

Diagramme à bandes

20
19
18
17
16
15
14
13
12
11
10
9
8
7
6
5
4
3
2
1

EN AUTOBUS | EN VOITURE | À PIED | EN TAXI

a) Combien d'élèves de la classe de Mélodie viennent à l'école en autobus ? ☐

b) Combien d'élèves de la classe de Mélodie viennent à l'école en voiture ? ☐

c) Combien d'élèves de la classe de Mélodie viennent à l'école à pied ? ☐

d) Combien d'élèves de la classe de Mélodie viennent à l'école en taxi ? ☐

e) Quel est le moyen de transport le plus utilisé par les élèves de Mélodie ?

....

....

f) Quel est le moyen de transport le moins utilisé par les élèves de Mélodie ?

....

....

Suites de nombres

Voir aussi *addition*, *soustraction*.

1 Trouve la régularité de chaque suite, puis complète-la.

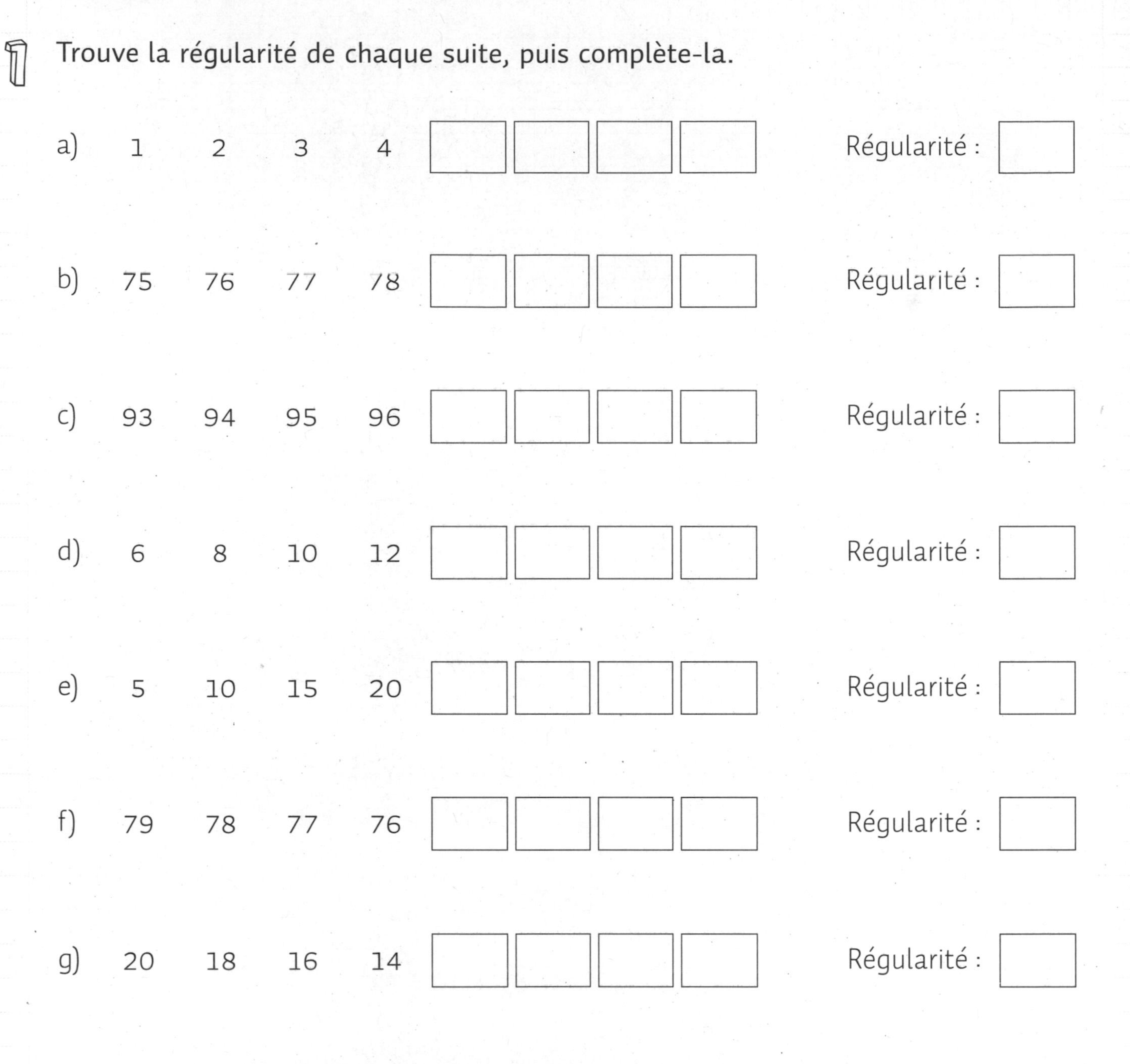

									Régularité
a)	1	2	3	4					
b)	75	76	77	78					
c)	93	94	95	96					
d)	6	8	10	12					
e)	5	10	15	20					
f)	79	78	77	76					
g)	20	18	16	14					

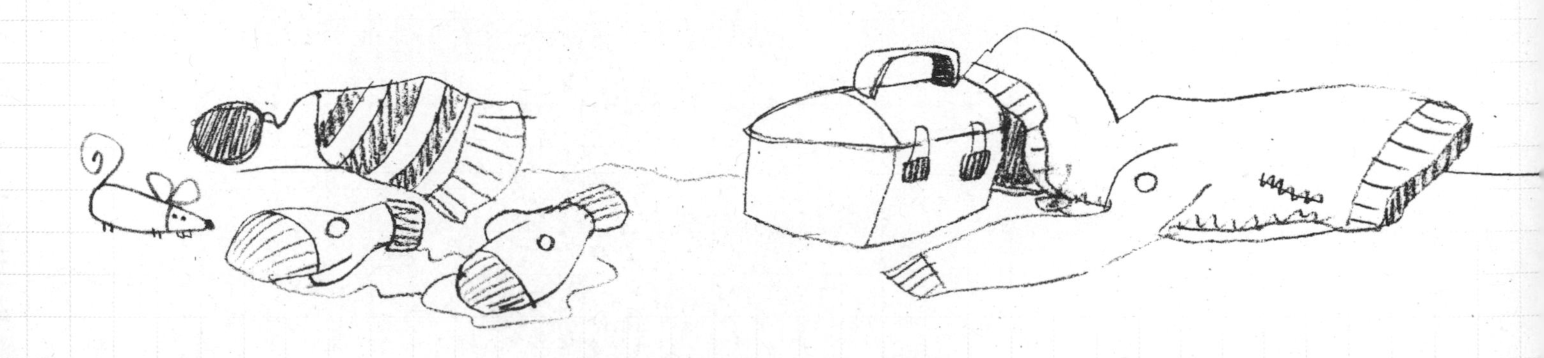

h)	17					22		24		Régularité :
i)	2	4	6				14	16		Régularité :
j)	10	15	20			35			50	Régularité :
k)	82							75		Régularité :
l)	0					50	60			Régularité :
m)	100					50	40			Régularité :

Table d'addition

Voir aussi *addition*.

1 Sur la table d'addition ci-dessous :

a) Entoure en rouge la somme de 5 + 2.
b) Entoure en vert la somme de 8 + 6.
c) Entoure en jaune la somme de 9 + 6.
d) Entoure en bleu la somme de 6 + 4.

+	1	2	3	4	5	6	7	8	9	10
1	2	3	4	5	6	7	8	9	10	11
2	3	4	5	6	7	8	9	10	11	12
3	4	5	6	7	8	9	10	11	12	13
4	5	6	7	8	9	10	11	12	13	14
5	6	7	8	9	10	11	12	13	14	15
6	7	8	9	10	11	12	13	14	15	16
7	8	9	10	11	12	13	14	15	16	17
8	9	10	11	12	13	14	15	16	17	18
9	10	11	12	13	14	15	16	17	18	19
10	11	12	13	14	15	16	17	18	19	20

Temps

1 Coche l'unité qui convient pour mesurer les durées.

	année	mois	semaine	jour	heure	minute	seconde
la vie d'un chat							
les vacances d'été							
l'hiver							
la composition d'un numéro de téléphone							
les vacances de Noël							
un rhume							
un éternuement							
mon déjeuner							
une sortie avec l'école							
une nuit de sommeil							
la récréation du matin							
la conservation d'un gâteau							
une course de 100 mètres							

2 Observe le calendrier et réponds aux questions.

Décembre

Dimanche	Lundi	Mardi	Mercredi	Jeudi	Vendredi	Samedi
1	2	3	4	5	6	7
8	9	10	11	12	13	14
15	16	17	18	19	20	21
22	23	24	25	26	27	28
29	30	31				

a) Combien de jours y a-t-il dans le mois ?

b) Combien de dimanches y a-t-il dans le mois ?

c) Les examens de Noël commencent le 12 décembre. Quel jour serons-nous ?

d) Quel jour serons-nous à Noël ?

e) Les vacances commencent le vendredi avant Noël. Quelle date serons-nous ?

3 Réponds aux questions.

a) Quel est le premier mois de l'année ?

b) Quel est le dernier mois de l'année ?

c) Quel est le troisième mois de l'année ?

d) Quel est le sixième mois de l'année ?

e) En février, en quelle saison sommes-nous ?

f) Combien y a-t-il de jours dans une année ?

g) Combien y a-t-il de saisons dans une année ?

h) Combien de jours y a-t-il au mois de décembre ?

i) Nomme au moins trois mois dans l'année qui ont 31 jours.

4 Écris sous chaque réveil l'heure qu'il indique.

 le matin ou le soir	 le matin ou l'après-midi
 le matin ou l'après-midi	 le matin ou l'après-midi
 le matin ou le soir	 le matin ou l'après-midi
 le matin ou le soir	 le matin ou l'après-midi

Triangle

Voir aussi *figure plane.*

1 Combien y a-t-il de triangles dans le dessin ?

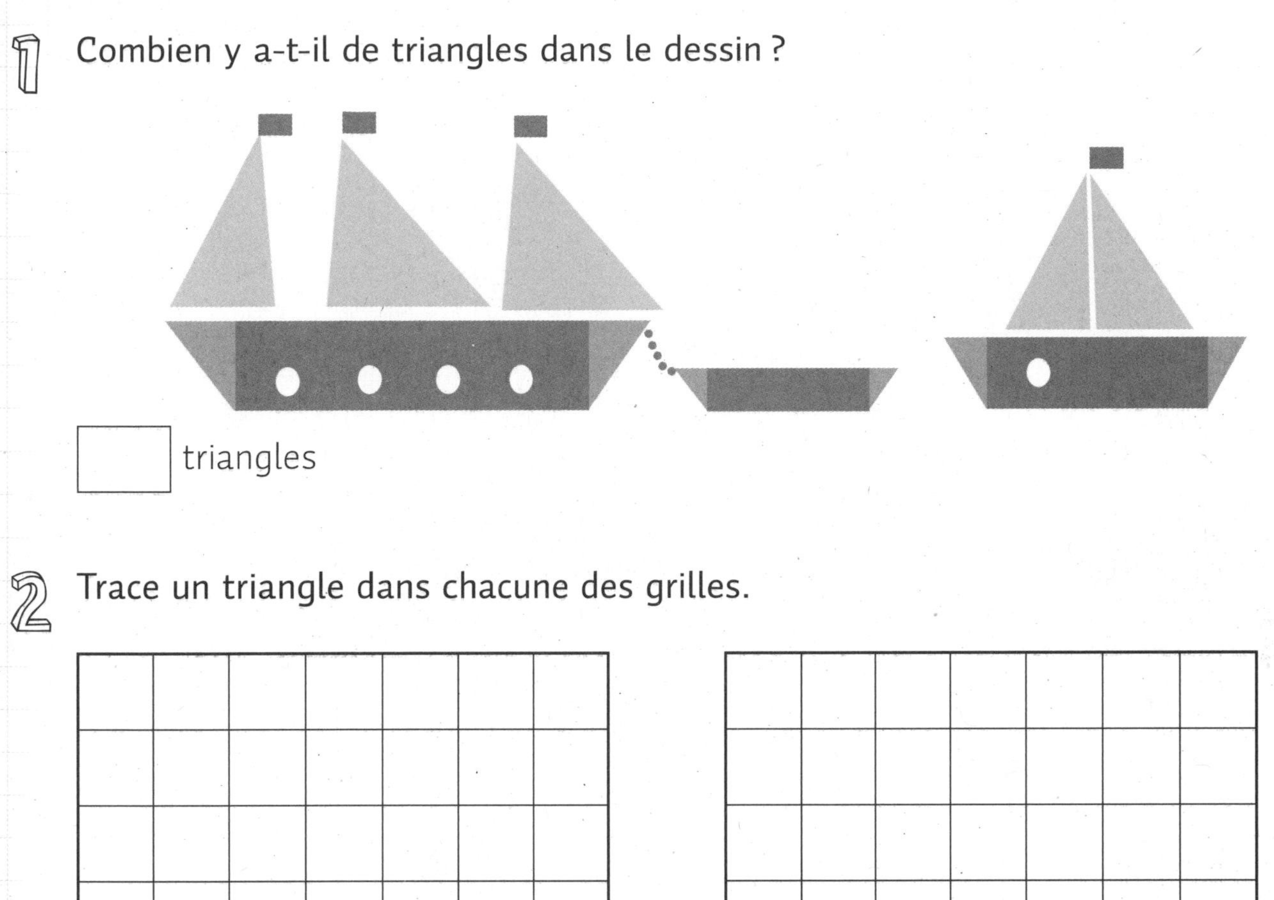

☐ triangles

2 Trace un triangle dans chacune des grilles.

Unité

Voir aussi *centaine, décomposer les nombres, dizaine.*

1 Compte les éléments de chaque ensemble et écris le nombre d'unités.

a)		☐ unités
b)	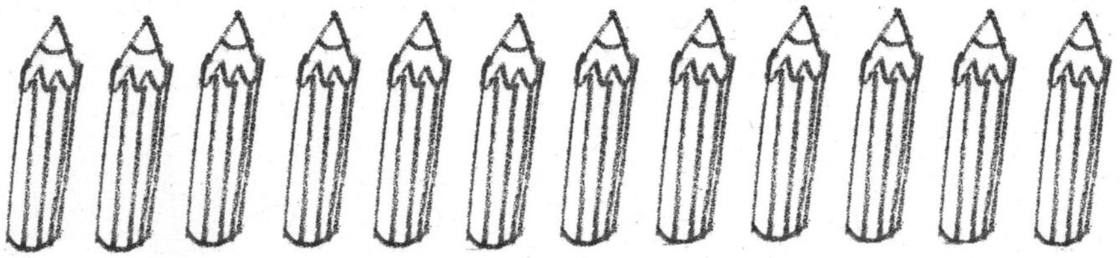	☐ unités
c)		☐ unités
d)	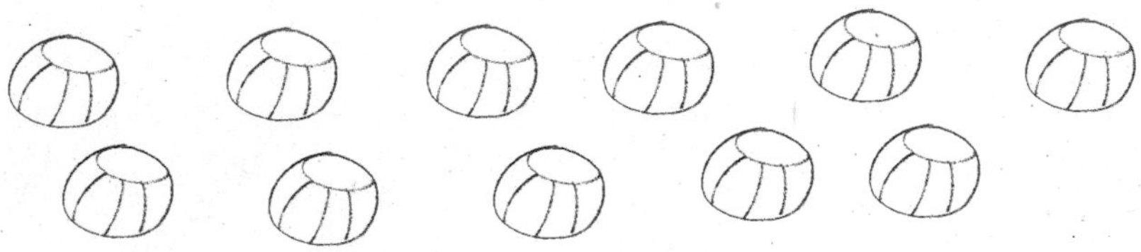	☐ unités
e)	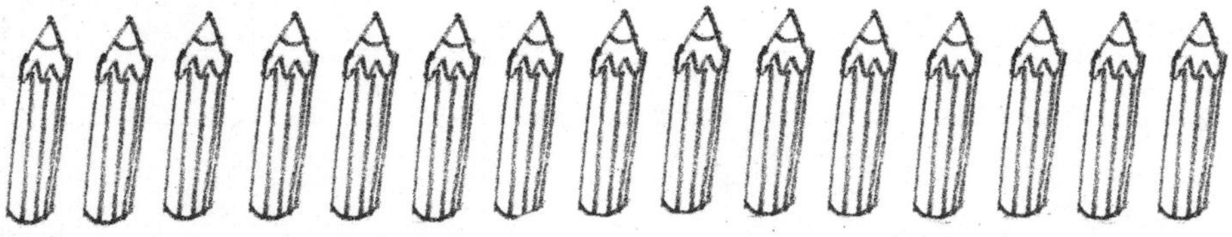	☐ unités
f)		☐ unités

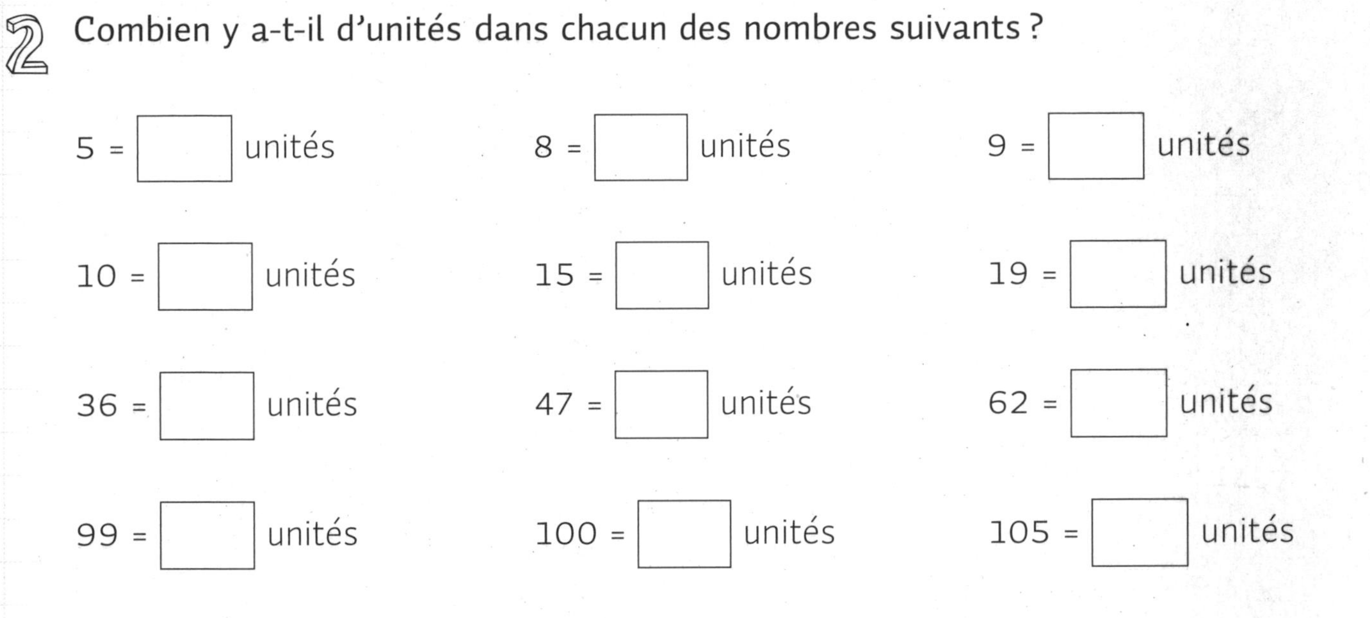

2 Combien y a-t-il d'unités dans chacun des nombres suivants ?

5 = ☐ unités 8 = ☐ unités 9 = ☐ unités

10 = ☐ unités 15 = ☐ unités 19 = ☐ unités

36 = ☐ unités 47 = ☐ unités 62 = ☐ unités

99 = ☐ unités 100 = ☐ unités 105 = ☐ unités

3 Écris dans les cases le nombre d'unités que représente chaque chiffre.

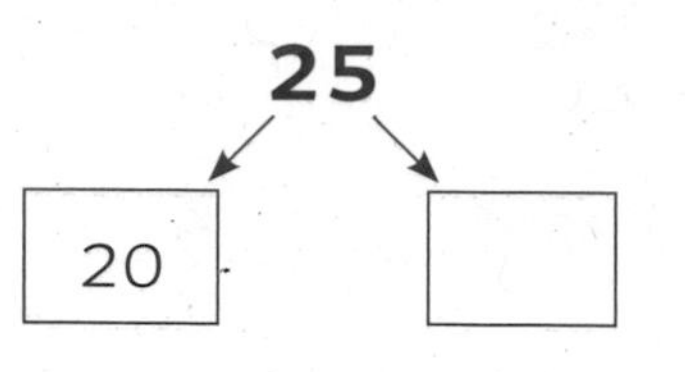

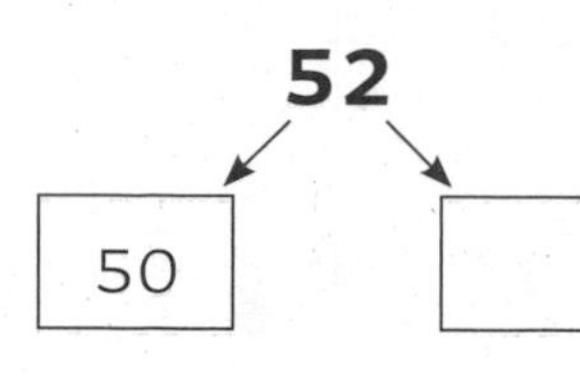

38

30

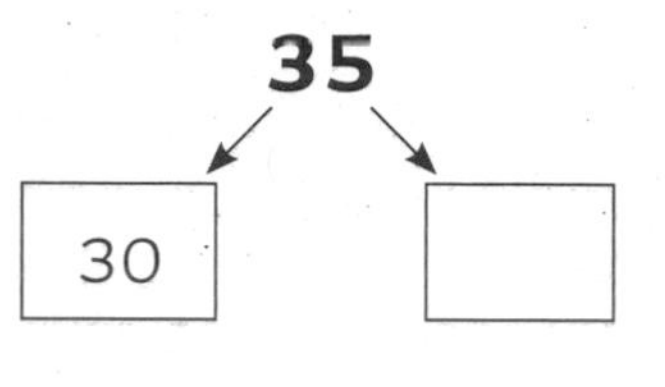

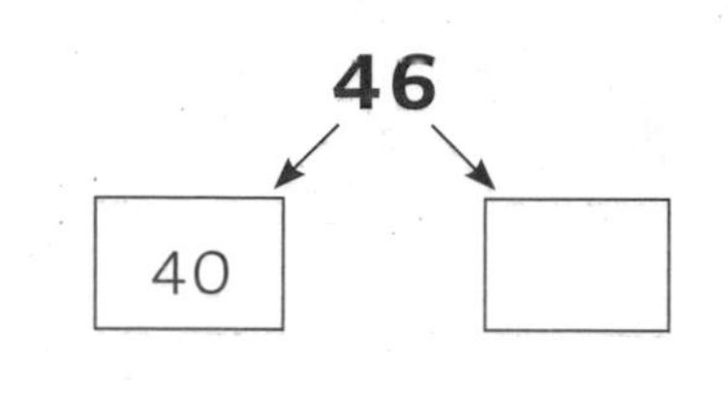

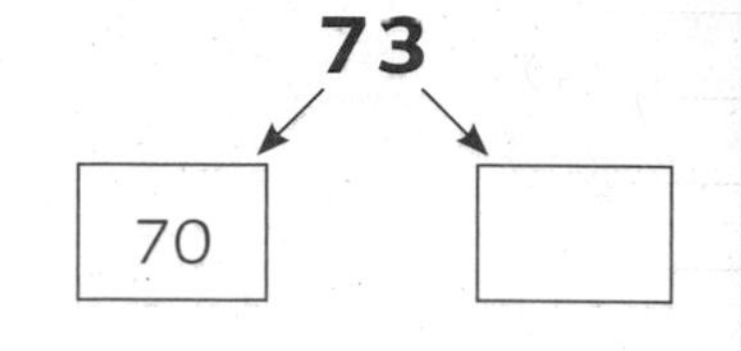

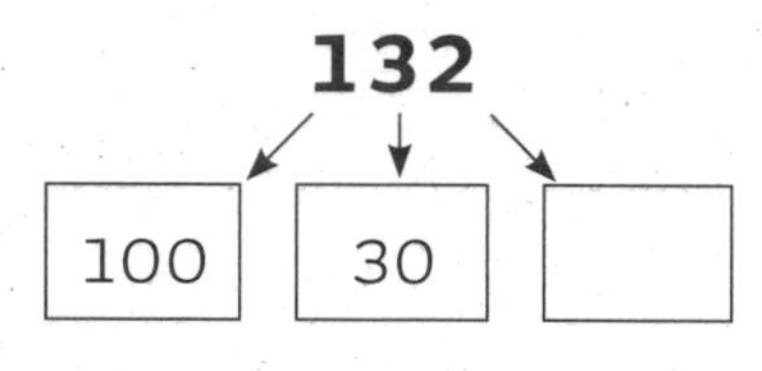

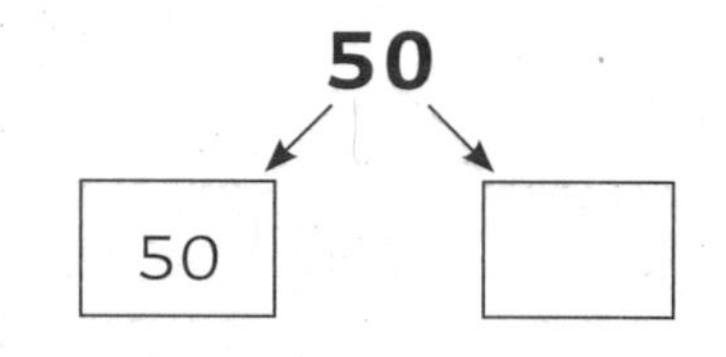

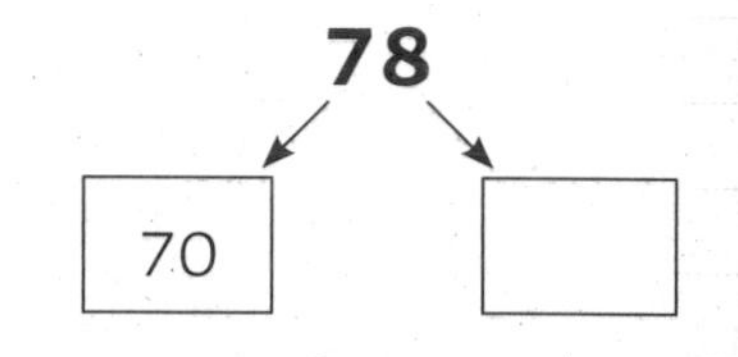

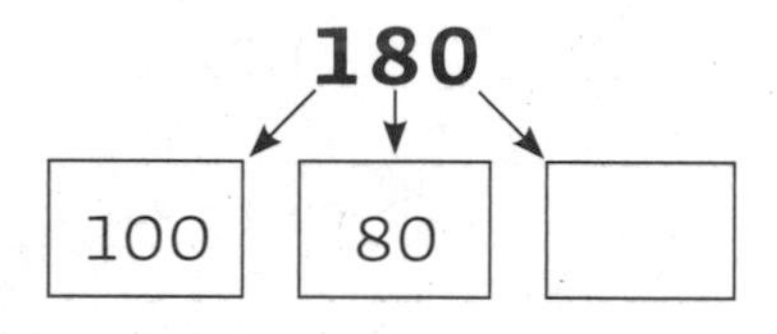

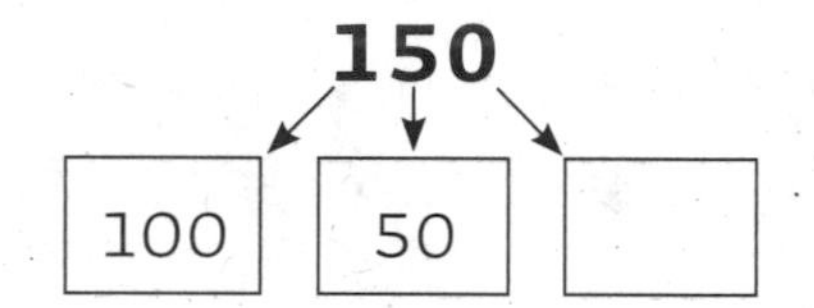

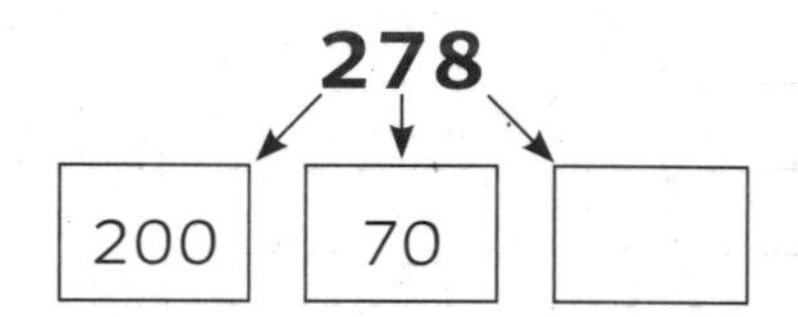

4 Dans les nombres suivants, souligne le chiffre à la position des unités.

7	**8**	**52**	**29**	**22**	**44**	**5**
17	**20**	**33**	**4**	**93**	**77**	**55**
9	**27**	**42**	**19**	**24**	**4**	**37**
72	**90**	**36**	**3**	**63**	**57**	**85**
9	**27**	**42**	**19**	**24**	**4**	**37**
127	**109**	**163**	**103**	**136**	**175**	**158**